BERLIN Photographien 1880–1930

BERLIN Photographien 1880–1930

Herausgegeben von Antonia Meiners

nicolai

© 2002 Nicolaische Verlagsbuchhandlung GmbH Berlin

Übersetzung: Christine Shuttleworth (Englisch)
Aurore Picavet (Französisch)
Montse González (Spanisch, Bildlegenden)
Isabel Moreno (Spanisch, Einleitung)
Maria Christina Francesconi (Italienisch)

Repros: Mega-Satz-Service, Berlin
Druck: Aumüller Druck KG, Regensburg
Bindung: Lüderitz & Bauer, Berlin

Printed in Germany
ISBN 3-87584-609-5

Vorwort

»Berlin, die Hauptstadt des Königreichs Preußen und des deutschen Reichs, erste Residenz des Kaisers und des Königs, mit seinen 2,5 Millionen Einwohnern die dritte Stadt Europas nach London und Paris, liegt unter 130°23'54" östlicher Länge von Greenwich und 52°30'17" nördlicher Breite in einer sandigen, von der Spree durchflossenen, von niedrigen Anhöhen umsäumten Ebene, 34 – 49 Meter über dem Meer. Durch den der Schifffahrt nie versagenden Fluss von jeher in Wasserverbindung mit allen Seiten, besonders mit dem Nordosten bis Polen, ist es jetzt der wichtigste Eisenbahn-Mittelpunkt und einer der bedeutendsten Handelsplätze Deutschlands und vielleicht die erste Industriestadt des Kontinents.

Im Handel überwiegen neben dem Geldgeschäft Getreide, Spiritus und Wolle. Die Gewerbetätigkeit steigt von Jahr zu Jahr. Hervorragend sind die Eisengießerei, der Bau von Maschinen, Lokomotiven, Eisenbahnmaterial, Wagen, die Fabrikation von Waffen- und Kriegsmaterial, die gewaltig aufstrebende Elektrizitäts- und Beleuchtungsindustrie.«

Diese Beschreibung Berlins stammt wie auch die folgenden Zitate aus dem »Handbuch für Reisende von Karl Baedeker« von 1902. Es war eine Zeit, in der sich Deutschlands Hauptstadt rasant veränderte. Aus der eher beschaulichen preußischen Residenzstadt des Jahres 1870 war binnen dreier Jahrzehnte eine europäische Metropole geworden – eine Entwicklung, von welcher der Bevölkerungszuwachs ein beredtes Zeugnis ablegt: Von etwa 800 000 im Jahr 1870 stieg die Zahl der Einwohner auf zweieinhalb Millionen um die Jahrhundertwende und vier Millionen in den zwanziger Jahren. In der Reichshauptstadt, zu der Berlin mit der Gründung des deutschen Kaiserreiches 1871 avancierte, hatte ein wirtschaftlicher Aufschwung eingesetzt, der sich – unterbrochen durch den Ersten Weltkrieg und seine Folgen – in der Weimarer Republik fortsetzte und das Leben und die Physiognomie der Stadt wesentlich veränderte.

»Was das Gesamtbild der Stadt betrifft, so entbehrt Berlin, zu mehr als drei Vierteln ganz modern, auch eines eigentlich geschichtlichen Gepräges. Von dem mittelalterlichen Kern, wo sich um das Rathaus in winkligen Gassen bescheidene Bürgerhäuser und wenige Kloster- und Hospitalgrundstücke gruppierten, sind hauptsächlich nur die Nikolai-, die Marien- und die Klosterkirche sowie die Hl. Geistkapelle übrig. Die alten Häuser sind größtenteils durch glänzende Neubauten ersetzt, Geschäfts- und Bierpaläste, Gasthöfe usw. Im Anschluss an den Spittelmarkt und den Hausvogteiplatz dringt die Umwandlung in der Leipziger Straße, durch die sich der Verkehr weiterwälzt, immer mehr nach Westen vor.«

Das Berlin der preußischen Könige gab es nicht mehr. Die großzügigen Sommergärten hinter den Stadtpalais und die letzten Weinberge wurden überbaut. Der Wein kam jetzt per Bahn zu günstigen Preisen aus dem Rheinland. Gleichzeitig lernten die Berliner Brauer, neben dem Weißbier auch untergärige Biere nach bayrischer Art herzustellen; Großbrauereien entstanden, und überall in der Stadt eröffneten Stehbierhallen.

Die Bürgerhäuser aus der Barockzeit hatten Platz machen müssen für Mietskasernen, Banken, Hotels und Geschäftsgebäude in protziger Gründerzeitarchitektur und für die vielen behäbigen Regierungsbauten, die das wilhelminische Berlin der Jahrhundertwende prägten. Ein weiteres Merkmal des veränderten Stadtbildes sind die neu entstandenen, modernen Warenhäuser. Ihren ersten Boom erlebten sie nach 1900: Jandorf, Hertzog, Jordan, Tietz und Wertheim ließen an Alexanderplatz, Spittelmarkt, Moritzplatz und vor allem in der Leipziger Straße die Kathedralen des Konsums in die Höhe wachsen.

Die großen Industrieunternehmen, deren Gründer Siemens, Borsig, Schwartzkopff usw. einst mit kleinen Werkstätten in Berliner Höfen begonnen hatten, wanderten in die Randgebiete an die Flüsse und Bahnlinien.

Außerhalb der Stadtgrenzen Berlins, wo sich zehn Jahre zuvor noch Felder und Wiesen erstreckt hatten, waren aus Dörfern Großstädte geworden: unzählige Häuser, vier und fünf Stockwerke hoch, mit Vorderhaus, Seitenflügel, Hinterhaus und engen Höfen. Ein »steinernes Meer«, das dem alten Berlin immer näher rückte.

»Im Kern liegen Alt-Berlin (am rechten Spree-Ufer bis zur Stadtbahn), Alt-Kölln (auf der Spree-Insel), Friedrichswerder (am linken Spree-Ufer zwischen Zeughaus und Spittelmarkt) und Neu-Kölln (Gegend der Wallstraße). Rings um diesen ältesten Stadtteil gruppiert sich, bis 1868 von einer 14,5 Kilometer langen Mauer umschlossen, von deren Toren nur das Brandenburger erhalten ist, ein innerer Gürtel mit Dorotheenstadt, Friedrichstadt, Luisenstadt, Friedrich-Wilhelm-stadt, Spandauer Viertel, Königsviertel und Stralauer Viertel. Die beiden letzten Stadtteile greifen in den äußeren Gürtel über, der die 1861 einverleibten Vorstädte umfasst.«

Allgemein verstand man unter Berlin allerdings weit mehr als nur die Innenstadt. Eigenständige Kommunen wie Charlottenburg, Schöneberg, Lichtenberg, Rixdorf (ab 1912 Neukölln) und Wilmersdorf, die jeweils über 100 000 Einwohner zählten, rechnete man normalerweise dazu. Ein Zusammenschluss war überfällig, doch scheiterte dieser lange Jahre am Egoismus der einzelnen Kommunen. Die reicheren Städte im Westen – »im Übrigen teilt Berlin mit Paris, London und anderen Großstädten die oft bemerkte Eigentümlichkeit, dass die vornehme Welt im Westen wohnt und der Osten Sitz der Fabrik- und Gewerktätigkeit ist« – verweigerten vehement eine Mitverantwortung für die finanziell schwachen Arbeiterbezirke im Osten. Erst nach dem Ersten Weltkrieg, im Jahr 1920, einigte man sich über die Modalitäten für ein Groß-Berlin – ein Konglomerat aus acht Städten, 59 Landgemeinden und 27 Gutsbezirken. Die neue Hauptstadt zählte jetzt offiziell vier Millionen Einwohner, war die größte Stadt Deutschlands, im Hinblick auf ihre Flächenausdehnung sogar die größte Stadt der Erde.

Viele Probleme wie der Wohnungsbau wurden von der nun demokratisch gewählten Stadtregierung wesentlich energischer und wirksamer angegangen als zuvor. In Angriff genommen werden konnte endlich auch eine Verkehrsplanung für den gesamten Stadtbereich. Bis 1920 blieb dies Sache der einzelnen Stadtregierungen, die bei gemeinsamen Projekten selten Übereinstimmung erzielt hatten.

Aus diesem Grunde verharrte zum Beispiel die Elektrifizierung des um 1880 errichteten Stadtbahnrings bis 1920 im Planungsstadium – auf der Photographie von der Jannowitzbrücke aus dem Jahr 1908 sieht man noch die Dampflokomotive auf den Schienen in Richtung Alexanderplatz. Die große Zahl der voneinander isolierten Kopfbahnhöfe, über welche die Besucher und Neuankömmlinge aus den unterschiedlichen Himmelsrichtungen in die Millionenstadt kamen, resultierte ebenfalls aus dem Wettbewerb zwischen privaten Verkehrsgesellschaften. Auch die kurze Betriebszeit des Hamburger Bahnhofs, der dem benachbarten Lehrter Bahnhof im Konkurrenzkampf unterlag, ist diesem Umstand geschuldet.

In privater Hand befanden sich ebenfalls die U-Bahn-Gesellschaften, die ihre Linien zunächst in die »besseren« Stadtgebiete und westlichen Vororte führten. Die dicht besiedelten, aber wenig Gewinn versprechenden Arbeiterbezirke im Osten und Norden mussten länger auf eine Anbindung warten. Da stieß man die Trasse lieber bis zum Reichskanzlerplatz (heute: Theodor-Heuss-Platz) in Westend vor, auch wenn dort noch niemand wohnte – die Finanzierungsgesellschaft aber profitierte von den dadurch steigenden Grundstückspreisen.

Beeindruckend in ihrer technischen Ausführung und künstlerischen Gestaltung war die erste U-Bahnlinie Berlins mit der imposanten Hochbahnstrecke zwischen Warschauer Straße und Möckernbrücke. Von überall kamen Neugierige in die Dennewitzstraße nach Schöneberg, um die Fahrt der Hochbahnwagen durch ein Wohnhaus zu bewundern.

Der Bauherr der U1, die Siemens AG, hatte das Projekt ursprünglich nach rein technischen Gesichtspunkten geplant – dabei aber die Rechnung ohne die Berliner gemacht. Als diese die ersten Entwürfe sahen, lehnten sie die Nüchternheit der geplanten Anlage mit der Forderung nach mehr Repräsentativität spontan ab. Woraufhin Siemens hervorragende Architekten wie Adolf Grenander hinzuzog. Die Aufnahme vom Bülowplatz vermittelt einen Eindruck davon, wie sehr die neuen Bahnhofsbauten als architektonische Besonderheiten die Attraktivität des Stadtbildes steigerten.

Die zwischen 1871 und 1931 entstandenen Photographien in diesem Buch sind für den heutigen Betrachter nicht nur nostalgische Zeugnisse einer längst vergangenen Zeit, sondern reflektieren auch den gravierenden Wandel, den Berlin in diesen Jahren durchlebte. Aufnahmen aus dem 19. Jahrhundert vom Hackeschen Markt mit seinem bescheidenen Vorstadtcharakter, von den kleinstädtisch anmutenden Straßen im Spandauer Viertel oder der geruhsamen Stimmung rund um die Nikolaikirche wechseln sich ab mit Bildern von den belebten Kreuzungen an Friedrichstraße und Leipziger Straße, vom Potsdamer Platz oder dem Kaufhaus am Hermannplatz in seiner avantgardistischen Gestalt: Die scheinbar idyllische Welt des 19. Jahrhunderts wird im 20. Jahrhundert abgelöst von Hektik und Betriebsamkeit, Geschäftemacherei und Vergnügungssucht.

Die Existenz dieser Photographien verdanken wir Lichtbildnern wie F. Albert Schwartz (1836–1906), Hermann Rückwardt (1845–1919), Waldemar Titzenthaler (1869–1937) und Max Missmann (1874–1945), die nicht nur die Kunst der Photographie beherrschten, sondern sich als Chronisten ihrer Zeit – und auch als Dokumentaristen einer zu Ende gehenden Epoche verstanden. Viele ihrer Arbeiten, vor allem aus den Jahren vor 1900, besaßen bereits bei ihrer Entstehung historischen Wert: Die Photographen hatten es sich schon damals zur Aufgabe gemacht, das vom Untergang bedrohte Alt-Berlin für die Nachwelt festzuhalten. Vielleicht erklärt sich unter anderem auch hieraus der elegische Charakter, der diesen frühen Bildern anhaftet – selbst wenn man bedenkt, dass die noch eingeschränkten technischen Möglichkeiten des Mediums nach stillen Motiven verlangten. Schwartz, zugleich Mitglied des Vereins für Geschichte Berlins, und Rückwardt hatten zum Beispiel systematisch die zum Abriss bestimmten Bauten in der Stadt aufgesucht und auf die kollodiumbeschichteten Glasplatten-Negative gebannt. Auch Titzenthaler und Missmann hielten gezielt das Vergehende mit der Kamera fest. Das Photo von der Königstraße am Alexanderplatz machte Titzenthaler zum Beispiel kurz vor dem Abtragen der Königskolonnaden und erinnerte damit an ein historisches Ensemble aus dem 18. Jahrhundert. Friedrich der Große hatte die Kolonnaden einst als architektonischen Akzent an der Einfahrt zur preußischen Residenz von Osten errichten lassen. Die Stadtbahn mit dem Bahnhof Alexanderplatz entstand um 1880 auf der Trasse des alten Festungsgrabens, durch dessen Zuschüttung der Platz dafür geschaffen wurde. Und das Photo verweist zugleich auf die kommende städtebauliche Phase: Im Vordergrund mussten die alten Gebäude bereits für das geplante neue Kaufhaus Wertheim weichen.

Neben solchen Motiven widmeten sich die Photographen natürlich noch vielen anderen Themen – so firmierte Missmann mit seinem ersten, 1904 eröffneten Atelier unter der Bezeichnung »Photographisches Institut für Architektur, Industrie und Illustration«. Missmann und seine Berufsgenossen richteten ihre Kamera auf das alltägliche Leben in den Straßen der Stadt, beobachteten die Berliner in ihrem Kiez oder bei den Sonntagsvergnügungen, photographierten Sehenswürdigkeiten und architektonische Glanzpunkte. Einige dieser unzähligen Bilder aus den Sammlungen des Stadtmuseums Berlin, des Landesarchivs Berlin und des Bildarchivs Preußischer Kulturbesitz sind in diesem Band zu sehen. Sie wecken in dem heutigen Betrachter, der eine durch Krieg, Abriss und Teilung tief verwundete Stadt kennt, eine nostalgische Sehnsucht nach diesem alten Berlin, in der klassische Fassaden, reizvolle Straßenfluchten und harmonische Platzanlagen zum Flanieren einluden – auch wenn zeitgenössische Architektur- und Kunstkritiker bisweilen wenig liebevoll mit der Metropole umgingen und der Baedeker etwas lapidar resümiert, »das Äußere von Berlin ist fast durchweg freundlich«. Dennoch – diese Bilder lassen erahnen, warum im Berlin um 1900 eine der Wurzeln der immer noch anhaltenden Faszination der Stadt liegt, die Einheimische und Fremde gleichermaßen spüren.

Foreword

"Berlin, the capital of the kingdom of Prussia and the German empire, first residence of the Emperor and the King, with its 2.5 million inhabitants the third city of Europe after London and Paris, lies at 130°23'54" east of Greenwich and 52°30'17" north, in a sandy plain, through which flows the river Spree, surrounded by low hills, 34 – 49 metres above sea level. From earliest times always accessible by water on all sides through the shipping on the river, particularly with the northeast as far as Poland, it is now the most important railway centre and one of the most vital trading areas in Germany, and perhaps the first industrial city of the continent of Europe.

Next to finance, trade here is dominated by grain, spirits and wool. Business activity increases year by year. Particularly outstanding are iron-smelting, machine construction, locomotives, railway stock, carriages, the fabrication of weapons and military equipment, the enormously expanding electricity and lighting industry."

This description of Berlin, like the quotations that follow, come from a "Handbook for Travellers" by Karl Baedeker of 1902. It was a time when the capital of Germany was undergoing tremendous change. The relatively tranquil Prussian royal capital of 1870 had become within three decades a European metropolis – a development to which the growth in population bears eloquent witness: from some 800,000 in 1870, the number of inhabitants rose to two and a half million at the turn of the century and four million in the 1920s. In the imperial capital, as Berlin became with the foundation in 1871 of the German empire, an industrial upturn had set in, which – interrupted by the First World War and its consequences – continued in the Weimar Republic and significantly altered the life and the physiognomy of the city.

"As far as the total picture of the city is concerned, Berlin, of which more than three quarters is quite modern, lacks a really historic character. Of the medieval core, where winding lanes of modest bourgeois houses and a few monastery and hospital sites were grouped around the town hall, practically only the *Nikolaikirche*, the *Marienkirche* and the *Klosterkiche* as well as the Chapel of the Holy Spirit still remain. The old houses have for the most part been replaced by gleaming new structures, business premises, beer palaces, and inns, and so forth. By way of the *Spittelmarkt* and the *Hausvogteiplatz* the transformation reaches as far as the *Leipziger Strasse*, through which the traffic rolls on, moving ever further westwards."

The Berlin of the Prussian kings no longer existed. The magnificent summer gardens behind the *Stadtpalais* and the last vineyards were built over. Wine now came by train from the Rhineland, at advantageous prices. At the same time the brewers of Berlin learned to produce, as well as *Weissbier* (the local top-fermented beer of wheat and barley), bottom-fermented beer in the Bavarian style; large-scale breweries appeared, and stand-up beer halls were opened everywhere in the city.

The bourgeois dwelling houses of the Baroque era had given way to tenement blocks, banks, hotels and business premises in the showy architectural style of the *Gründerzeit*, the years of industrial growth of the early 1870s, and to the many ponderous government buildings that characterized the Wilhelminian Berlin of the turn of the century. A further feature of the altered face of the city are the newly built, modern warehouses. They experienced their first boom after 1900: Jandorf, Hertzog, Jordan, Tietz and Wertheim commissioned the building of cathedrals of consumption, rising to new heights in the *Alexanderplatz*, *Spittelmarkt*, *Moritzplatz* and above all the *Leipziger Strasse*.

The large industrial concerns, whose founders, Siemens, Borsig, Schwartzkopff, and so forth, had begun with small workshops in Berlin courtyards, were now moving into the outskirts, the areas by the rivers and railway lines, where new factory buildings were going up, and often also housing estates for the workers.

Outside the city limits of Berlin, where ten years earlier there had been an expanse of fields and meadows, villages had become big cities: countless houses, four or five storeys high, with front and back sections, side wings and narrow courtyards – an "ocean of stone" which was encroaching ever more closely on old Berlin.

"At the core of the city are *Alt-Berlin* (on the right-hand bank of the Spree as far as the urban railway), *Alt-Kölln* (on the Spree island), *Friedrichswerder* (on the left-hand bank of the Spree between the Armoury and the *Spittelmarkt*) and *Neu-Kölln* (the *Wallstraße* district). Around this, the oldest part of the city, enclosed until 1868 by a 14.5-kilometre-long wall, of whose gates only the Brandenburg Gate survives, runs an inner girdle including the *Dorotheenstadt, Friedrichstadt, Luisenstadt, Friedrich-Wilhelmstadt,* Spandau District, *Königsviertel* und Stralau District. The last two areas of the city spread out into the outer girdle, which encloses the suburbs that were incorporated in 1861."

Admittedly Berlin meant a great deal more than just the inner city. Independent communities such as *Charlottenburg, Schöneberg, Lichtenberg, Rixdorf* (from 1912, *Neukölln*) and *Wilmersdorf*, which each had more than 100,000 inhabitants, were normally included as part of Berlin. A merger was overdue, but this failed for many years because of the egoism of the individual communities. The more prosperous cities to the west – "incidentally Berlin shares with Paris, London and other metropolises the frequently observed peculiarity that the high society lives in the west, and the east is the centre of factory and trade activities" – vehemently rejected joint responsibility for the financially ineffective workers' districts to the east. Only after the First World War, in 1920, was an agreement reached about the conditions for a Greater Berlin – a conglomerate of eight cities, 59 country districts and 27 estate authorities. The new capital now officially had four million inhabitants, was the largest city in Germany, and indeed, from the point of view of its surface area, even the largest city in the world.

Many problems such as residential building were now approached very much more energetically and effectively than before by the democratically elected city administration. One matter that could at last be tackled was a traffic plan for the entire city area. Until 1920 this had remained the concern of the individual urban administrations, which had seldom reached agreement in joint projects. For this reason, for example, the electrification of the urban railway ring built in 1880 remained in the planning stage until 1920 – in the photograph of the *Jannowitzbrücke* of 1908 one still sees the steam locomotive on the tracks pointing in the direction of *Alexanderplatz*. The great number of railway terminals, isolated from each other, through which visitors and new arrivals came into the city of millions from all corners of the realm, also resulted from the competition between private transport companies. The brief period of operation of the Hamburg railway station, which was defeated in competition with the nearby Lehrte station, was due to this circumstance.

Also in private hands were the underground railway companies, whose lines were mainly to be found in the "better" areas of the city and the suburbs to the west. The workers' districts in the east and north, thickly populated but promising little gain, had to wait longer for public transport connections. It was considered preferable to extend the route as far as the *Reichskanzlerplatz* in the West End, even if no one lived there yet – the finance company would profit from the resulting rise in property values.

Impressive in its technical execution and artistic design, Berlin's first underground line included an imposing stretch of overhead railway between *Warschauer Strasse* and the *Möckernbrücke*. Curious visitors came from all directions to the *Dennewitzstrasse* in *Schöneberg*, to admire the overhead railway train that actually drove right through a dwelling-house.

Siemens AG, the company that built the U1 line, had originally planned the project from a strictly technical perspective – but they had not reckoned with the Berliners. When the people of the city saw the first designs, they spontaneously rejected the austerity of the plans with demands for a more distinguished appearance, whereupon Siemens brought in outstanding architects such as Adolf Grenander. The photograph of *Bülowplatz* gives an impression of how greatly the architectural distinctiveness of the new railway stations increased the attraction of the cityscape.

The photographs in this book, created between 1871 and 1931, are for today's observer not only nostalgic evidence of an age that has long passed away, but they also reflect the substantial changes through which Berlin lived during this period. 19th century photographs of the *Hackesche Markt* with its unpretentious suburban character, of the streets reminiscent of a small town in the Spandau district or the leisurely atmosphere around the *Nikolaikirche*, alternate with images of the lively crossroads at *Friedrichstrasse* and *Leipziger Strasse*, of *Potsdamer Platz* and the department store on the *Hermannplatz* with its avant-garde design. The apparently idyllic world of the 19th century is succeeded in the 20th century by hectic activity, profit-seeking and endless craving for pleasure.

We owe the existence of these images to photographic artists such as F. Albert Schwartz (1836–1906), Hermann Rückwardt (1845–1919), Waldemar Titzenthaler (1869–1937) and Max Missmann (1874–1945), who not only mastered the art of photography but also considered themselves chroniclers of their time – and also documenters of an era that was coming to an end. Much of their work, above all from the years before 1900, already possessed historical value at the time of its creation. Photographers at that time already considered it part of their task to preserve the old Berlin, under threat of destruction, for posterity. Perhaps this also explains in part the elegiac character which clings to these early images – even when one considers that the limited technical possibilities of the medium at that time demanded static motifs. Schwartz, who was also a member of the Association for the History of Berlin, and Rückwardt, for example, had systematically sought out the buildings in the city that were earmarked for demolition and captured them on the negatives of collodium-coated glass plates. Titzenthaler and Missmann too deliberately concentrated on recording what was transient with their cameras. The photograph of the *Königstrasse* at the *Alexanderplatz*, for example, was taken by Titzenthaler shortly before the removal of the royal colonnades, as a reminder of a historic ensemble of the 18th century. It was Frederick the Great who had had the colonnades built as an architectural point of reference at the eastern entrance to the Prussian royal residence. The urban railway with the *Alexanderplatz* station was built around 1880 on the route of the old moat, which had been filled in to create space for it. And at the same time the photograph refers to the town-planning phase that was to come: the old buildings in the foreground were to be demolished to make way for the new Wertheim department store to be built in their place.

Apart from these motifs, the photographers of course devoted themselves to many other themes. Missmann, for example, opened his first studio in 1904 trading under the description "Photographic Institute for Architecture, Industry and Illustration". Missmann and his colleagues directed their cameras at everyday life in the city streets, observed Berliners in their local neighbourhoods or at their Sunday entertainments, photographed the sights of the city and the architectural highlights. Some of these countless images from the collections of the *Stadtmuseum Berlin*, the *Landesarchiv Berlin* and the picture library of the *Preussischer Kulturbesitz* can be seen in this book. In the observer of today, who is familiar with a city deeply wounded by war, demolition and division, they awaken a nostalgic longing for this old Berlin, where classical façades, charming rows of streets and harmoniously laid-out squares invited one to take a leisurely stroll – even if contemporary critics of architecture and art at times dealt somewhat unfeelingly with the city, and Baedeker somewhat succinctly sums up, "the outward aspect of Berlin is almost uniformly friendly". Nevertheless – these images allow one to realize why, in the Berlin of around 1900, we discover the roots of the city's enduring fascination, felt by local people and visitors alike.

Préface

« Berlin, capitale du royaume de Prusse et de l'empire d'Allemagne, première résidence de l'Empereur et du Roi, troisième ville d'Europe après Londres et Paris avec ses 2,5 millions d'habitants, a une longitude de 130°23'54" à l'est de Greenwich et une latitude de 52°30'17" nord. Elle est située à 34 – 49 mètres au-dessus du niveau de la mer sur un plateau sablonneux traversé par la Spree et entouré de coteaux. Grâce à son fleuve toujours ouvert à la navigation et reliant toutes les directions, surtout le nord-est jusqu'en Pologne, Berlin est à présent non seulement le premier centre de lignes de chemin de fer et une des principales places commerciales d'Allemagne, mais peut-être aussi la première ville industrielle du continent. Le commerce est dominé, à côté des opérations financières, par le marché lié aux céréales, aux spiritueux et à la laine. L'activité commerciale augmente d'année en année. Sont excellentes aussi la fonderie, la construction de machines, de locomotives, de matériel de chemin de fer et de voitures, la fabrication d'armes et de matériel militaire, et enfin l'industrie de l'électricité et de l'éclairage, qui connaît un essor considérable. »

Cette citation, tout comme la suivante, est tirée du « Manuel du voyageur de Karl Baedeker », 1902. A cette époque, la capitale de l'Allemagne se métamorphosait à une vitesse vertigineuse. En trois décennies, la paisible capitale prussienne de 1870 se transforma en une métropole européenne. L'accroissement de la population constitue un éloquent témoignage de ce développement: de 800.000 environ en 1870, le nombre d'habitants passa à deux millions et demi à la fin du siècle, pour atteindre les quatre millions dans les années '20. Devenu capitale du Reich après la constitution de l'empire allemand en 1871, Berlin connut un essor économique qui se poursuivit – bien qu'interrompu par la première guerre mondiale et ses conséquences – pendant la république de Weimar, bouleversant la vie et la physionomie de la ville.

« Le tableau d'ensemble de Berlin est pour plus de trois quarts très moderne et dénué d'une marque historique intrinsèque. Du centre moyenâgeux, où se groupaient dans de minuscules ruelles autour de l'hôtel de ville de modestes demeures bourgeoises et quelques terrains appartenant au monastère et à l'hôpital, il ne reste aujourd'hui que les églises Nikolai, Marien et *Klosterkirche*, ainsi que la chapelle *Heilige Geistkapelle*. Les vieilles maisons ont pour la plupart été remplacées par de luxueux bâtiments modernes, des palaces à boutiques et brasseries, des hôtel-restaurants etc. Après le *Spittelmarkt* et la *Hausvogteiplatz*, c'est la *Leipziger Strasse* qui nécessite une urgente transformation, la circulation y étant toujours plus dense, avançant en direction de l'ouest. »

Le Berlin des rois de Prusse avait cessé d'exister. Les vastes jardins d'été à l'arrière du *Stadtpalais* et les derniers vignobles se firent chantiers de construction. Le vin pouvait à présent être acheminé à bas prix par voie de chemin de fer depuis la Rhénanie. A la même époque, les brasseurs berlinois apprirent à fabriquer, en plus de la bière blonde, des bières à fermentation basse à la façon bavaroise. De grandes brasseries firent leur apparition, et partout dans la ville s'ouvrirent des buvettes où la bière se consommait debout. Les maisons bourgeoises de style baroque avaient cédé la place à des immeubles à appartements, des banques, des hôtels et des centres commerciaux d'une architecture ostentatoire datant des années d'expansion économique. Nombre de ces bâtiments baroques firent également place aux pesantes constructions bureaucratiques de l'ère wilhelmienne, qui marquèrent le Berlin fin de siècle. Participent également à la modification de la physionomie de la ville les grands magasins construits dans un style contemporain. Ils connurent un premier boom après 1900: Jandorf, Hertzog, Jordan, Tietz et Wertheim firent pousser en hauteur les cathédrales de la consommation à *Alexanderplatz*, *Spittelmarkt*, *Moritzplatz* et surtout dans la *Leipziger Strasse*.

Les grandes entreprises industrielles, dont les fondateurs Siemens, Borsig, Schwartzkopff etc. avaient débuté dans de petits ateliers situés dans des cours de Berlin, se déplacèrent vers la périphérie aux abords des fleuves et des voies de chemin de fer. Là furent construits de nouveaux bâtiments industriels ainsi que, souvent dans le même temps, des lotissements destinés aux ouvriers.

En dehors des frontières de la ville de Berlin, où s'étendaient dix ans auparavant des champs et des prairies, les villages s'étaient transformés en grandes villes avec d'innombrables bâtisses à quatre ou cinq étages, avec maison avant et arrière, annexes et étroites cours intérieures. Une « mer de pierres » qui se rapprochait toujours plus du vieux Berlin.

« Le centre est composé de *Alt-Berlin* (sur la rive droite de la Spree jusqu'au *Stadtbahn* – comparable au RER), *Alt-Kölln* (sur l'île de la Spree), *Friedrichswerder* (sur la rive gauche de la Spree entre la *Zeughaus* et le *Spittelmarkt*) et enfin *Neu-Kölln* (environs de la *Wallstrasse*). La vieille ville est encadrée par une ceinture qui, jusqu'en 1868, comptait 14,5 kilomètres de mur ainsi que des portes, dont seule la Porte de Brandebourg existe encore. Cette ceinture intérieure relie *Dorotheenstadt, Friedrichstadt, Luisenstadt, Friedrich-Wilhelmstadt, Spandauer Viertel, Königsviertel* et *Stralauer Viertel*. Les deux derniers quartiers relient également la ceinture extérieure, qui entoure les faubourgs ayant intégré Berlin en 1861. »

Ce que l'on considérait comme Berlin ne se limitait pas au centre ville: les communes autonomes de *Charlottenburg, Schöneberg, Lichtenberg, Rixdorf* (à partir de 1912 *Neukölln*) et *Wilmersdorf*, qui comptaient chacune plus de 100 000 habitants, étaient généralement prises en compte. Leur fusion, déjà retardée, fut des années durant vouée à l'échec en raison de l'égoïsme des différentes communes. Les villes de l'ouest, plus riches, – « Berlin partage d'ailleurs avec Paris, Londres et d'autres grandes villes la particularité souvent observée que le beau monde habite à l'ouest, tandis que l'est est le siège des industries et des activités ouvrières » – refusaient avec véhémence un partage des responsabilités avec les quartiers ouvriers financièrement faibles de l'est. Ce n'est qu'après la première guerre mondiale, en 1920, qu'elles parvinrent à s'entendre sur les modalités nécessaires à un grand Berlin – un conglomérat de huit villes, 59 communes rurales et 27 districts à grandes propriétés. La nouvelle capitale comptait à présent officielle-ment quatre millions d'habitants, et était la plus grande ville d'Allemagne, voire de la planète eu égard à son énorme superficie.

Le gouvernement de la ville, dès lors élu démocratiquement, aborda nombre de problèmes avec bien plus d'énergie et d'efficacité qu'auparavant, comme par exemple la construction de logements. On put aussi enfin s'attaquer à une planification du trafic pour l'ensemble de la ville, ce qui jusqu'en 1920 était resté du ressort des gouvernements des différentes villes, rarement arrivés à un accord sur des projets communs. C'est par exemple pour cette raison que l'électrification de la ceinture RER construite en 1880 resta à l'état de projet jusqu'en 1920 – la photographie du pont *Jannowitzbrücke* de 1908 montre encore la locomotive à vapeur sur les voies en direction de l'*Alexanderplatz*. Points d'arrivée des visiteurs et nouveaux venus de toutes origines dans cette ville de plusieurs millions d'habitants, les nombreuses gares terminus isolées les unes des autres résultent également de la concurrence entre des sociétés de transport privées. La courte durée d'exploitation de la gare *Hamburger Bahnhof*, qui perdit contre la gare voisine *Lehrter Bahnhof* le combat concurrentiel, est due à ces circonstances.

Les sociétés de métro étaient également aux mains de constructeurs privés, qui firent d'abord passer leurs lignes dans les « meilleurs » quartiers de la ville et dans les faubourgs de l'ouest. Les quartiers ouvriers fortement peuplés mais peu lucratifs, à l'est et au nord, durent attendre des liaisons plus longtemps. On préféra poursuivre le tracé jusqu'à la *Reichskanzlerplatz* à *Westend*, bien que personne n'habite encore ce quartier – mais la société de financement profita des prix des terrains s'élevant peu à peu.

La première ligne de métro berlinoise, avec son imposant trajet en hauteur entre *Warschauer Strasse* et *Möckernbrücke*, était une oeuvre impressionnante sur le plan de la réalisation technique et artistique. Des curieux venaient de partout dans la *Dennewitzstrasse* en direction de *Schöneberg*, afin d'admirer le passage du métro surélevé à travers une habitation.

Le constructeur de la ligne U 1, Siemens AG, avait au départ conçu le projet sous un angle purement technique – mais en oubliant d'y intégrer les Berlinois. Lorsqu'ils en découvrirent les esquisses, ils rejetèrent spontanément le prosaïsme des plans et exigèrent une plus grande représentativité dans leur conception. Les excellents architectes de Siemens, dont Adolf Grenander, accédèrent à cette demande. Le cliché de la *Bülowplatz* rend compte à quel point les nouvelles gares, véritables particularités architectoniques, firent s'accroître l'attrait de la ville.

Prises entre 1871 et 1931, les photographies qui parcourent cet ouvrage sont pour les spectateurs d'aujourd'hui non seulement de nostalgiques témoignages d'un passé révolu, mais reflètent aussi les transformations lourdes de conséquences qu'à connu Berlin au cours de ces années-là. Les clichés du 19ème siècle, par exemple du *Hackescher Markt* au caractère de modeste faubourg, des petites rues du quartier *Spandauer Viertel* rappelant la province, ou encore de l'atmosphère tranquille autour de l'église Nikolai, cèdent la place à des photographies de carrefours très fréquentés comme *Friedrichstrasse* et *Leipziger Strasse*, de la *Potsdamer Platz* ou du grand magasin de style avant-gardiste sur la *Hermannplatz*: Le monde apparemment idyllique du 19e siècle est dissout au 20e par l'effervescence et l'affairement, le commerce et le désir de divertissement.

Nous devons l'existence de ces épreuves à des photographes tels que F. Albert Schwartz (1836–1906), Hermann Rückwardt (1845–1919), Waldemar Titzenthaler (1869–1937) et Max Missmann (1874–1945), qui non seulement maîtrisaient l'art de la photographie, mais se considéraient également comme des chroniqueurs de leur temps, des documentalistes d'une époque touchant à sa fin. Nombre de leurs clichés, ceux des années précédent 1900 surtout, avaient déjà valeur historique lors de leur réalisation, et pour cause: à l'époque déjà, les photographes s'étaient engagés à sceller pour la postérité l'image du vieux Berlin menacé de disparition. Ainsi peut-être s'explique le caractère élégiaque de ces premiers clichés, même si l'on sait que les possibilités techniques encore limitées du médium obligeaient à photographier des motifs immobiles. Schwartz, également membre de l'association historique *Verein für Geschichte Berlins*, et son collègue Rückwardt, recherchèrent systématiquement les bâtiments voués à la démolition, avant de les immortaliser sur des négatifs sur plaque de verre au collodion. Titzenthaler et Missmann eux aussi fixèrent à dessein les édifices en perdition avec leur appareil photo. Titzenthaler prit notamment le cliché de la *Königstrasse* sur l'*Alexanderplatz* peu avant la déplacement des *Königskolonnaden* (colonnades royales), évoquant ainsi un ensemble historique du 18ème siècle. Frédéric le Grand avait fait ériger ces

colonnades comme élément architectural de l'entrée de la résidence prusse de l'est. Le *S-Bahn*, avec comme gare *Alexanderplatz*, fut construit vers 1880 sur le tracé de l'ancien fossé de la forteresse, dont le remblai avait donné naissance à la place *Alexanderplatz*. La photo renvoie en même temps à la phase d'urbanisme à venir: à l'avant plan, les anciens bâtiments étaient déjà condamnés à disparaître au profit du nouveau grand magasin Wertheim.

Outre ces motifs, les photographes se consacrèrent bien sûr à d'autres thèmes: ainsi, Missmann signa l'ouverture de son premier atelier en 1904 avec comme raison sociale « Institut photographique d'architecture, d'industrie et d'illustration ». Missmann et ses collègues de travail dirigèrent leur appareil photo vers la vie quotidienne dans les rues de la ville, observèrent les Berlinois dans leur quartier ou dans leurs divertissements du dimanche, photographièrent les lieux d'attraction touristique et les joyaux de l'architecture. Quelques-unes de ces innombrables photographies, provenant des collections du *Stadtmuseum Berlin*, des archives du Land Berlin et des archives photographiques *Bildarchiv Preussischer Kulturbesitz*, sont présentées dans cet ouvrage. Chez le lecteur d'aujourd'hui qui connaît une ville profondément blessée par la guerre, les démolitions et la division, elles éveillent la nostalgie de ce vieux Berlin dont les façades classiques, les enfilades de rues pleines de charme et les places harmonieuses invitaient à la flânerie. Même si les critiques d'architecture et d'art de l'époque parlaient parfois avec peu de sympathie de la métropole, même si le résumé lapidaire du guide Baedeker dit « l'aspect de Berlin est gentil en presque tout lieu », ces photographies permettent de comprendre pourquoi le Berlin des années autour de 1900 est une des racines de la fascination que, de nos jours encore, cette ville exerce sur les autochtones et les étrangers tous confondus.

Prólogo

«Berlín, la capital del reino de Prusia y del imperio alemán, primera residencia del emperador y del rey, con sus 2,5 millones de habitantes la tercera ciudad de Europa después de Londres y París, se encuentra a 130°23′54′′ de longitud al este de Greenwich y a 52°30′17′′ de latitud norte, sobre una superficie arenosa, regada por el río Spree y rodeada de bajas colinas, entre 34 y 49 metros sobre el nivel del mar. Gracias a que el río es en todo momento navegable, existe desde tiempos inmemoriales comunicación fluvial en todas direcciones, especialmente con el noroeste hasta Polonia; asimismo la ciudad es ahora el centro ferroviario más importante y uno de los centros comerciales más significativos de Alemania, e incluso la primera ciudad industrial del continente.

Desde el punto de vista comercial cabe destacar, junto a los negocios bancarios, los cereales, el alcohol y la lana. La actividad industrial se incrementa año tras año. Son de gran calidad la fundición de hierro, la construcción de maquinaria, locomotoras, material ferroviario, automóviles, la fabricación de material de armamento y bélico, así como la industria eléctrica y de alumbrado, en notable expansión.»

Esta descripción de Berlín, así como las citas siguientes, fue tomada del «Manual del Viajero de Karl Baedeker», de 1902. Era una época en la que la capital de Alemania se transformaba vertiginosamente. La capital del reino prusiano del año 1870, más bien contemplativa, se había convertido en el transcurso de tres décadas en una metrópolis europea; un desarrollo del que es testimonio elocuente el crecimiento de la población. De aproximadamente 800 000 en el año 1870, aumentó el número de habitantes a 2,5 millones hacia el cambio de siglo, y a cuatro millones en los años veinte. En la capital del imperio, en que Berlín se había convertido con la proclamación del Imperio alemán en 1871, se había puesto en marcha un avance económico que, interrumpido por la Primera Guerra Mundial y sus consecuencias, continuó en la República de Weimar, transformando esencialmente la vida y la fisonomía de la ciudad.

«Por lo que se refiere a la imagen global de la ciudad, Berlín, siendo en más de tres cuartas partes muy moderna, se halla privada de un sello histórico propio. Del centro medieval en torno al ayuntamiento, alrededor del cual se agrupaban, en suntuosos callejones, modestas casas burguesas y algunos monasterios y hospitales, quedan principalmente sólo las iglesias dedicadas a San Nicolás (*Nikolaikirche*), a la Virgen María (*Marienkirche*) y la iglesia del Monasterio (*Klosterkirche*), así como la Capilla del Espíritu Santo (*Heilige Geistkapelle*). Las casas antiguas han sido en su mayor parte sustituidas por brillantes edificios modernos, palacios de los negocios y de la cerveza, casas de huéspedes, etc. Como continuación del *Spittelmarkt* y de la plaza *Hausvogteiplatz*, la transformación se interna, cada vez más hacia occidente, en la *Leipziger Strasse*, a través de la cual el tráfico sigue avanzando.»

El Berlín de los reyes prusianos ya no existía. El generoso jardín de verano detrás del palacio de la ciudad se construyó encima de los últimos viñedos. El vino llegaba ahora de la zona del Rin más económico. Al mismo tiempo, los fabricantes berlineses de cerveza aprendieron a fabricar, junto a la cerveza de trigo, también otras cervezas de fermentación baja según el método bávaro. Se fundaron grandes fábricas de cerveza, y por toda la ciudad se abrieron cervecerías.

Las casas burguesas de la época barroca habían tenido que ceder lugar a grandes bloques de pisos de alquiler, bancos, hoteles y edificios de negocios en la ostentosa arquitectura de la época, y a los numerosos corpulentos edificios del gobierno, que marcaron el Berlín del emperador Guillermo durante el cambio de siglo. Otra característica del cambio de imagen de la ciudad son los nuevos y modernos almacenes. Vivieron su auge hacia 1900: Jandorf, Hertzog, Jordan, Tietz y Wertheim hicieron crecer las catedrales del consumo en *Alexanderplatz*, *Spittelmarkt*, *Moritz-platz* y, sobre todo, en la *Leipziger Strasse*.

Las grandes industrias, cuyos fundadores Siemens, Borsig, Schwartzkopff, etc. habían empezado en algún momento con pequeños talleres en los patios berlineses, se trasladaron a las áreas periféricas al lado de ríos y líneas ferroviarias, y construyeron nuevas fábricas y, a menudo, también colonias de viviendas para los trabajadores.

Fuera de los límites de la ciudad de Berlín, donde diez años atrás sólo se extendían campos y prados, los pueblos se convirtieron en grandes ciudades: innumerables edificios de cuatro y cinco plantas, con pisos exteriores, interiores, laterales y estrechos patios. Un «mar de piedra» que se acercaba cada vez más al viejo Berlín.

«Como núcleo quedan el antiguo Berlín, *Alt-Berlin* (a la orilla derecha del Spree hasta el ferrocarril metropolitano), el antiguo Kölln, *Alt-Kölln* (en la isla del Spree), *Friedrichswerder* (a la orilla derecha del Spree entre *Zeughaus* y *Spittel-markt*) y el nuevo Kölln, *Neu-Kölln* (en la zona de la *Wallstrasse*). Entorno a este casco más antiguo de la ciudad se agrupa, rodeado hasta 1868 por una muralla de 14,5 kilómetros, de cuyas puertas sólo queda en pie la de Brandeburgo, un casco interno formado por *Dorotheenstadt*, *Friedrichstadt*, *Luisenstadt*, *Friedrich-Wilhelmstadt*, *Spandauer Viertel*, *Königsviertel* y *Stralauer Viertel*. Los dos últimos distritos se expanden hasta el extrarradio, constituido por los suburbios anexionados en 1861.»

No obstante, en general se consideraba Berlín mucho más que el mero centro de la ciudad. Municipios autónomos como *Charlottenburg*, *Schöneberg*, *Lichten-berg*, *Rixdorf* (a partir de 1912 *Neukölln*) y *Wilmersdorf*, que contaban, cada uno de ellos, con más de 100 000 habitantes, se tenían normalmente en cuenta. Una fusión era inevitable, pero no fue posible durante muchos años debido al egoísmo de cada uno de los municipios. Las ciudades más ricas del este – «por cierto que Berlín comparte con París, Londres y otras grandes ciudades la notable característica de que el mundo noble se encuentra en la parte occidental mientras que en la oriental se ubican las fábricas y los sindicatos» – rechazaban con vehemencia tener que asumir asimismo la responsabilidad por la debilidad económica de los barrios de trabajadores del este. No fue hasta después de la Primera Guerra Mundial, en 1920, que se llegó a un acuerdo sobre las modalidades para un Gran Berlín, un conglomerado de ocho ciudades, 59 municipios rurales y 27 comarcas de hacendados. En este tiempo, la nueva capital contaba con cuatro millones de habitantes, siendo la ciudad más grande de Alemania y, en base a su superficie, incluso la ciudad más extensa de la tierra.

El gobierno de la ciudad, elegido ahora democráticamente, arremetió con mucha más energía y efectividad que antes contra muchos problemas, como en el caso de la construcción de viviendas. Se pudo llevar a cabo finalmente una planificación del tráfico para toda la ciudad. Hasta 1920, esto estaba en manos de los gobiernos de los diferentes municipios, los cuales raramente habían coincidido en los proyectos comunes. Por este motivo, p. ej., la electrificación del anillo ferroviario, terminado en 1880, permaneció hasta 1920 en estado de planificación – en la fotografía del puente de Jannowitz, fechada en 1908, se ve todavía la locomotora a vapor circulando en dirección a *Alexanderplatz*. El gran número de estaciones de tren, aisladas unas de otras, y a través de las cuales llegaban a la gran ciudad los visitantes y recién llegados de los distintos puntos cardinales, eran el resultado de la competencia entre sociedades privadas de transporte. Incluso la brevedad del período de funcionamiento de la estación de Hamburgo *Hamburger Bahnhof*, la cual sucumbió ante la competencia que significaba estación vecina *Lehrter Stadt-bahnhof*, se debe a estas circunstancias.

Igualmente propiedad privada era el transporte urbano metropolitano, cuyas líneas al principio conducían a las «mejores» zonas urbanas y a los suburbios al oeste de la ciudad. Los barrios de trabajadores al norte y al este, muy poblados pero poco lucrativos, tuvieron que esperar algún tiempo más a ser conectados. Se prefería extender la traza hasta la *Reichskanzlerplatz* en la zona de *Westend*, aunque allí no vivía nadie; sin embargo, la sociedad financiera sacaba provecho del incremento resultante de los precios de los terrenos.

Por su perfección técnica y su diseño artístico, la primera línea de ferrocarril metropolitano en Berlín, con su imponente tramo elevado entre *Warschauer Strasse* y *Möckernbrücke*, era impresionante. De todas partes llegaban los curiosos a la *Dennewitzstrasse* en *Schöneberg*, para admirar el paso de un tren elevado a través de un edificio de viviendas.

El propietario de la línea U1, la empresa Siemens AG, había planeado el proyecto en su origen desde un punto de vista puramente técnico, pero todo ello sin contar con los berlineses. Cuando éstos vieron los primeros conceptos, rechazaron la sobriedad del proyecto de instalación y reclamaron espontáneamente mayor representatividad. Para lo cual, Siemens invitó a arquitectos destacados como Adolf Grenander. La fotografía de la *Bülowplatz* proporciona una idea de cómo las nuevas estaciones incrementaban el atractivo de la imagen de la ciudad en su calidad de curiosidades arquitectónicas.

Las fotografías de este libro, tomadas entre 1871 y 1931, son para el lector actual no sólo testimonios nostálgicos de una época pasada, sino que reflejan también la agravante transformación que experimentó Berlín en esos años. Algunas tomas del *Hackescher Markt* del siglo XIX con su modesto carácter de suburbio, de las calles de aire provinciano del *Spandauer Viertel*, o del ambiente tranquilo por los alrededores de la *Nikolaikirche* se alternan con imágenes de cruces transitados en las calles *Friedrichstrasse* y *Leipziger Strasse*, la *Potsdamer Platz* o los grandes almacenes en la *Hermannplatz*, de construcción vanguardista: el mundo supuestamente idílico del siglo XIX es sustituido en el siglo XX por el bullicio y la actividad, por el mundo de los negocios y la pasión por la diversión.

Debemos agradecer la existencia de estas imágenes a fotógrafos como F. Albert Schwartz (1836–1906), Hermann Rückwardt (1845–1919), Waldemar Titzenthaler (1869–1937) y Max Missmann (1874–1945), quienes no sólo dominaban el arte de la fotografía, sino que se consideraban a sí mismos cronistas de su tiempo, así como documentadores de una época que se acercaba a su fin. Muchos de sus trabajos, sobre todo de los años anteriores a 1900, poseían un valor histórico desde el momento de su creación: Ya en sus tiempos, los fotógrafos habían asumido la tarea de captar y conservar el antiguo Berlín, ya en decadencia, para la posteridad. Quizás puede esto explicar entre otras cosas el carácter elegíaco que impregna estas primeras fotografías, aun teniendo en cuenta que las posibilidades técnicas del medio, aún limitadas, exigían motivos estáticos. Schwartz, miembro a su vez de la Sociedad para la Historia de Berlín, y Rückwardt habían buscado sistemáticamente como ejemplo los edificios destinados a ser derruidos y los habían retenido en negativos de placas de cristal impregnadas de colodión. También

Titzenthaler y Missmann retuvieron con sus cámaras una selección de lo que estaba por desaparecer. La fotografía de la *Königstrasse* en *Alexanderplatz* fue tomada por Titzenthaler, p. ej., poco antes de trasladar las Columnatas Reales y ofrece reminiscencias de un conjunto histórico del siglo XVIII. En su tiempo, Federico el Grande había mandado construir las columnatas como un toque arquitectónico en la entrada este de la residencia prusiana. La estación de ferrocarril de *Alexanderplatz* fue construida hacia 1880 en la traza del antiguo foso, que tras cubrirse ofreció el lugar para la estación. Y, al mismo tiempo, la fotografía remite a la fase urbanística posterior: en primer plano, los edificios antiguos tuvieron que ceder ante los ya planeados grandes almacenes Wertheim.

Junto a estos motivos, los fotógrafos se dedicaron naturalmente también a otros muchos temas; de este modo Missmann, con su primer taller, inaugurado en 1904, firmaba bajo la rúbrica «Instituto Fotográfico para Arquitectura, Industria e Ilustración». Missmann y sus colegas contemporáneos dirigían sus cámaras a la vida cotidiana en las calles de la ciudad, observaban a los berlineses en sus barriadas o en sus distracciones dominicales, fotografiaban monumentos y maravillas arquitectónicas. Algunas de estas incontables imágenes, propiedad de las colecciones del Museo de la Ciudad de Berlín, del Archivo del Estado de Berlín y del Archivo Fotográfico del Patrimonio Cultural Prusiano se pueden contemplar en este libro. Estas fotografías despiertan en el observador de hoy, que conoce una ciudad muy marcada por la guerra, la destrucción y la división, un sentimiento de nostalgia hacia ese antiguo Berlín, en el que las clásicas fachadas, los encantadores trazos de las calles y las armoniosas plazas invitaban a pasearse, aun cuando los críticos contemporáneos de arquitectura y de arte fueran algunas veces menos amables con la metrópolis y el Baedeker resuma algo lapidario que «el aspecto de Berlín es agradable casi sin excepción». Sin embargo, estas fotografías dejan entrever por qué en el Berlín de los alrededores de 1900 se encuentra una de las raíces de una fascinación aún permanente en la ciudad, fascinación que sienten tanto sus habitantes como sus visitantes.

Prefazione

« Berlino, capitale del Regno di Prussia e del Reich tedesco, prima residenza imperiale, con i suoi 2,5 milioni di abitanti la terza città europea dopo Londra e Parigi, si trova a 130°23'54" di longitudine est da Greenwich e a 52°30'17" di latitudine nord in una piana sabbiosa attraversata dalla Sprea e circondata da lievi alture, a 34–49 metri sul livello del mare. Forte di una rete di collegamenti via acqua in ogni direzione, in particolare verso nord-est fino alla Polonia, grazie al fiume navigabile ovunque è diventata il principale nodo ferroviario ed una delle piazze commerciali più prestigiose della Germania e forse la prima città industriale del continente.

I settori commerciali di maggior rilievo oltre a quello finanziario, sono quelli dei cereali, degli alcolici e della lana. L'attività industriale aumenta di anno in anno. Settori di spicco sono le fonderie, le fabbriche di macchinari, di locomotive, di materiali ferroviari e di autoveicoli, la produzione di armi e materiale bellico, l'industria elettrica e dell'illuminazione in piena ascesa. »

Questa descrizione di Berlino, come le altre citazioni, è tratta dal « Manuale del viaggiatore di Karl Baedeker » del 1902. È un'epoca in cui la capitale tedesca va mutando volto con estrema rapidità. In appena trent'anni la tranquilla città eletta nel 1870 a residenza della corte prussiana, si è trasformata in una metropoli di livello europeo, un'evoluzione di cui è testimonianza eloquente l'incremento demografico: il numero degli abitanti passa dai circa 800 000 del 1870 ai due milioni e mezzo negli anni a cavallo tra '800 e '900, raggiungendo i quattro milioni negli anni '20. Nella Berlino assurta a capitale del Reich con la fondazione dell'impero tedesco nel 1871 ha inizio una crescita economica che – interrotta dalla I Guerra mondiale e dalle sue conseguenze – proseguirà durante la Repubblica di Weimar, mutando in maniera decisiva la vita e la fisionomia della città.

« Per quel che attiene al quadro complessivo della città, si può dire che Berlino, una città per più di tre quarti con connotati moderni, manca di un'impronta storica. Dell'antico nucleo medievale, dove modeste case borghesi ed un esiguo numero di conventi ed ospedali si raggruppavano in labirintici vicoli attorno al municipio, restano solo la *Nikolaikirche*, la *Marienkirche* e la *Klosterkirche* oltre alla Cappella dello Spirito Santo. I vecchi edifici sono stati in gran parte rimpiazzati da palazzi nuovi fiammanti, negozi, birrerie e alberghi. Proseguendo oltre lo *Spittelmarkt* e la *Hausvogteiplatz*, la metamorfosi si estende alla *Leipziger Strasse*, dove scorre intenso il traffico, avanzando sempre più verso ovest. »

La Berlino dei sovrani prussiani è scomparsa. Le aree occupate in passato dai vasti giardini delle residenze di città e dagli ultimi vigneti sono state edificate. Il vino, ora, arriva per ferrovia dalla Renania a prezzi convenienti. Nello stesso periodo i birrai berlinesi imparano a produrre oltre alla *Weissbier*, la classica birra bianca, anche birre a bassa fermentazione su ricetta bavarese; nascono birrerie industriali e ovunque in città aprono i battenti mescite di birra dove i clienti vengono serviti al bancone.

I palazzi borghesi di epoca barocca hanno ormai lasciato il posto a casermoni popolari, banche ed hotel, ad edifici commerciali caratterizzati dalla pacchiana architettura del *Gründerzeit* e ai molti monumentali palazzi governativi tipici della Berlino guglielmina del periodo a cavallo tra i due secoli. Un altro segno distintivo del mutato paesaggio urbano sono i moderni grandi magazzini di recente costruzione. Il loro primo boom risale al periodo successivo al 1900: ad *Alexanderplatz*, *Spittelmarkt*, *Moritzplatz* e soprattutto nella *Leipziger Strasse* si innalzano le cattedrali del consumo commissionate da Jandorf, Hertzog, Jordan, Tietz e Wertheim. Le grandi società industriali, i cui fondatori Siemens, Borsig, Schwartzkopff ecc. avevano iniziato la loro attività in laboratori artigianali nei cortili interni delle case berlinesi, si trasferiscono nelle zone di periferia, lungo i fiumi e le linee ferroviarie, dove fanno costruire nuovi stabilimenti e spesso anche interi quartieri per operai e dipendenti.

Al di fuori della cinta urbana di Berlino, là dove dieci anni prima si vedevano solo campi e prati, i villaggi sono diventati vere e proprie città: ovunque edifici a quattro o cinque piani caratterizzati da un corpo di fabbrica affacciato sulla strada ed uno retrostante collegati tra loro da ali laterali che racchiudono stretti cortili. Un « mare di pietra » che stringe sempre più d'assedio la vecchia Berlino.

« Al centro si trovano gli agglomerati urbani di *Alt-Berlin* (tra la riva destra della Sprea ed il tracciato della ferrovia urbana), *Alt-Kölln* (sull'isola formata da un'ansa della Sprea), *Friedrichswerder* (sulla riva sinistra della Sprea, tra lo *Zeughaus* e lo *Spittelmarkt*) e *Neu-Kölln* (nella zona della *Wallstrasse*). Attorno a questo antico nucleo urbano si estende, chiusa fino al 1868 da un muro di cinta lungo 14,5 chilometri di cui la *Brandenburger Tor* è l'unica porta ad essersi conservata, una cintura urbana interna che comprende i rioni *Dorotheenstadt*, *Friedrichstadt*, *Luisenstadt*, *Friedrich-Wilhelmstadt*, *Spandauer Viertel*, *Königsviertel* e *Stralauer Viertel*. Questi ultimi due si estendono fino alla cintura esterna che congloba i sobborghi annessi alla città nel 1861. »

In generale, tuttavia, parlando di Berlino non si intende solo il nucleo storico, entro le mura. Municipi indipendenti come *Charlottenburg*, *Schöneberg*, *Lichtenberg*, *Rixdorf* (dal 1912 in poi *Neukölln*) e *Wilmersdorf*, che contano più di 100 000 abitanti ciascuno, vengono in genere considerati parte della città. La loro fusione dovrebbe essere cosa ormai conclusa, ma è impedita per lunghi anni dall'egoistico ostruzionismo dei singoli comuni. Come si desume anche da un commento del Baedeker – « ... inoltre, Berlino condivide con Parigi, Londra ed altre metropoli la singolarità frequentemente osservata, per cui i ceti più abbienti e distinti vivono nelle zone occidentali, mentre ad est si insediano le fabbriche e le attività artigianali » – i più ricchi comuni ad ovest si rifiutano con tutte le loro forze di farsi carico dei rioni operai finanziariamente deboli nelle zone orientali. Solo dopo la I Guerra mondiale, nel 1920, ci si accorda sulle modalità per la creazione della Grande Berlino, un conglomerato formato da otto città, 59 comuni rurali e 27 grandi tenute che facevano comune a sé. La nuova capitale conta ora ufficial-mente quattro milioni di abitanti, è la maggiore città della Germania e per estensione addirittura la più grande del mondo.

La nuova amministrazione cittadina, eletta democraticamente, affronta molti problemi, tra cui quello dell'edilizia abitativa, con più determinazione ed efficacia di prima. Ci si preoccupa, finalmente, anche di elaborare un piano della viabilità per tutta l'area urbana. Una questione, questa, che fino ad allora era stata di competenza delle singole amministrazioni municipali, che raramente trovavano un'intesa sui progetti di comune interesse. Questo fu uno dei motivi per cui, ad esempio, l'elettrificazione della ferrovia urbana anulare costruita intorno al 1880 rimase allo stadio di progetto fino al 1920, come testimonia la fotografia dello *Jannowitzbrücke* scattata nel 1908 dove si vede ancora una locomotiva a vapore in transito verso *Alexanderplatz*. Il gran numero di stazioni di testa isolate una dall'altra, punto di arrivo nella metropoli di visitatori e nuovi cittadini provenienti da ogni dove, è anch'esso il risultato della concorrenza tra le diverse società di trasporto private. Un'ulteriore testimonianza di questa situazione è il breve periodo di esercizio come stazione della *Hamburger Bahnhof*, sopraffatta dalla vicina *Lehrter Bahnhof*.

Anche le aziende che gestiscono la metropolitana, le cui linee in un primo tempo collegano solo le aree urbane « più signorili » ed i sobborghi ad ovest della città, sono in mano privata. I quartieri operai ad est e a nord, densamente popolati ma poco promettenti dal punto di vista del profitto, dovranno attendere ancora a lungo prima di essere collegati. Le società dei trasporti preferiscono arrivare fino alla *Reichskanzlerplatz* nel *Westend*, benché non vi abiti ancora nessuno, favorendo così una lievitazione dei prezzi dei terreni a tutto vantaggio della società finanziatrice.

Straordinaria per l'equipaggiamento tecnico e la realizzazione architettonica è la prima linea della metropolitana, con l'imponente tratto sopraelevato tra *Warschauer Strasse* e *Möckernbrücke*. Da tutta la città affluiscono nella *Dennewitz-strasse* a *Schöneberg* i curiosi per ammirare sbigottiti i treni della sopraelevata che attraversano un caseggiato.

Originariamente la Siemens AG, il committente della linea U1, aveva studiato il progetto da un punto di vista meramente tecnico, non facendo però i conti con i Berlinesi. Quando questi vedono i primi disegni, rifiutano l'essenziale funzionalità dell'impianto reclamando spontaneamente una maggiore rappresentatività. Questa reazione induce la Siemens a coinvolgere nel progetto architetti di gran fama come Adolf Grenander. La foto di *Bülowplatz* dà un'idea di quanto le nuove stazioni della metropolitana con la loro singolare architettura abbiano valorizzato il paesaggio urbano.

Le fotografie di questo volume, scattate tra il 1871 ed il 1931, sono per l'osservatore dei nostri giorni non solo nostalgiche testimonianze di un'epoca ormai lontana, ma mettono soprattutto in risalto la profonda metamorfosi vissuta da Berlino nel corso di quegli anni. Le fotografie risalenti al XIX secolo che mostrano l'*Hackescher Markt* con il suo carattere di modesto sobborgo, le vie dall'aspetto provinciale dello *Spandauer Viertel* o il pacifico ambiente attorno alla *Nikolaikirche*, si alternano alle immagini degli animati crocevia lungo la *Friedrichstrasse* e la *Leipziger Strasse*, della *Potsdamer Platz* o dei grandi magazzini di *Hermannplatz* con la loro architettura all'avanguardia. L'universo apparentemente idilliaco del XIX secolo passa il testimone all'atmosfera di febbrile attività e laboriosità, di frenesia economica e di smania di divertimento che contraddistingue il XX secolo.

L'esistenza di queste immagini la si deve a fotografi del calibro di F. Albert Schwartz (1836–1906), Hermann Rückwardt (1845–1919), Waldemar Titzenthaler (1869–1937) e Max Missmann (1874–1945), che non solo padroneggiavano l'arte della fotografia, ma si consideravano anche cronisti del loro tempo oltre che documentaristi di un'epoca al tramonto. Molti dei loro lavori, in particolare quelli antecedenti il 1900, avevano valenza storica già all'epoca in cui furono realizzati: fin da allora i fotografi si erano prefissati di tramandare ai posteri attraverso le loro immagini la vecchia Berlino minacciata dal declino. Questa può forse essere una delle chiavi di lettura per spiegare il carattere elegiaco di queste prime fotografie, pur considerando che i mezzi tecnici ancora limitati richiedevano soggetti statici. Schwartz, membro anche della *Verein für Geschichte Berlins*, l'associazione storiografica di Berlino, e Rückwardt, ad esempio, battevano sistematicamente la città alla ricerca dei fabbricati destinati alla demolizione per immortalarli sulle lastre negative al collodio. Anche Titzenthaler e Missmann miravano di proposito a catturare con la macchina fotografica il momento fugace. La foto della *Königstrasse* su cui si affaccia *Alexanderplatz* fu scattata,

ad esempio, da Titzenthaler poco prima della rimozione delle *Königskolonnaden* e conserva così la memoria di un complesso storico del XVIII secolo quale era il colonnato fatto erigere da Federico il Grande come colpo d'occhio architettonico all'ingresso orientale della residenza prussiana. La ferrovia urbana con la stazione di *Alexanderplatz* fu costruita intorno al 1880 sul tracciato del vecchio fossato della fortificazione che, interrato, aveva fatto posto alla piazza. La stessa foto rimanda, inoltre, alla successiva fase urbanistica in cui i vecchi edifici in primo piano dovettero fare posto al nuovo grande magazzino Wertheim.

Questi, comunque, non sono gli unici soggetti a cui i fotografi dedicarono la loro attenzione. Per il suo primo atelier aperto nel 1904 Missmann, ad esempio, scelse il nome paradigmatico di « Photographisches Institut für Architektur, Industrie und Illustration », Istituto fotografico per l'architettura, l'industria e l'illustrazione. Missmann ed i suoi colleghi puntavano le loro macchine fotografiche sulle scene di vita quotidiana catturate nelle strade della città, osservavano i Berlinesi nei loro rioni o durante gli svaghi domenicali, fotografavano monumenti ed elementi architettonici di grande effetto. Questo volume propone una selezione delle innumerevoli fotografie appartenenti alle collezioni del Museo civico di Berlino, dell'Archivio del Land Berlin e dell'Archivio Fotografico della Fondazione del patrimonio culturale prussiano. Sono immagini che risvegliano nell'osservatore odierno, che conosce una città profondamente ferita dalla guerra, dalle demolizioni e dalla divisione, un nostalgico rimpianto per quella vecchia Berlino dove facciate classicheggianti, vie incantevoli e piazze allestite con grande gusto e armonia, invitavano al passeggio, benché critici d'arte e d'architettura dell'epoca avessero talvolta parole poco benevole per la metropoli e Baedeker concludesse la propria descrizione con la lapidaria osservazione: « ... l'aspetto esteriore di Berlino è quasi ovunque gradevole ». Eppure da queste fotografie si può intuire perché sia proprio la Berlino del periodo intorno al 1900 a custodire uno dei segreti del fascino oggi ancora vivo che questa città esercita in egual modo sui suoi abitanti e sui visitatori.

Den Potsdamer Platz, bis 1945 einer der verkehrsreichsten Plätze Berlins, kreuzten außer S- und U-Bahn 26 Straßenbahn- und fünf Buslinien. Vom Potsdamer Bahnhof (im Hintergrund) fuhren die Züge in Richtung Magdeburg.

Potsdamer Platz was until 1945 one of the busiest squares in Berlin. It was traversed by not only the *S-Bahn* (city railway) and underground lines, but also by 26 tram and five bus lines. From the Potsdam station (in the background) trains departed in the direction of Magdeburg.

La *Potsdamer Platz*, important nœud de circulation à Berlin jusqu'en 1945, était le carrefour de 26 lignes de tramway et de 5 lignes de bus, sans compter le *S-Bahn* et le métro. Les trains partaient en direction de Magdeburg depuis la gare de Potsdam (à l'arrière plan).

Por la *Potsdamer Platz*, una de las plazas con más tráfico de Berlín hasta 1945, pasaban, además del tren urbano y el metro, 26 líneas de tranvía y 5 de autobús. De la estación *Potsdamer Bahnhof*, en el fondo, los trenes salían en dirección a Magdeburgo.

La *Potsdamer Platz*, fino al 1945 una delle piazze più trafficate di Berlino, era servita dalla metropolitana, dalla ferrovia urbana, da 26 linee tranviarie e da 5 di autobus. Dalla *Potsdamer Bahnhof* (sullo sfondo) partivano i treni in direzione Magdeburgo.

Max Missmann, 1925

Der Potsdamer Platz mit dem 1924 aufgestellten Verkehrsturm. Die beiden Tor-
häuser, von Karl Friedrich Schinkel 1823/24 für das Potsdamer Tor errichtet,
markieren den Übergang zum Leipziger Platz; im Hintergrund der Eingang des
Kaufhauses Wertheim von Alfred Messel.

Potsdamer Platz with the traffic tower set up in 1924. The two gatehouses, built
in 1823/24 by Karl Friedrich Schinkel for the Potsdam gate, mark the transition to
the *Leipziger Platz*. In the background is the entrance to the Wertheim department
store, built by Alfred Messel.

La *Potsdamer Platz* et sa tour de circulation datant de 1924. Les deux bâtiments
« portails », érigés par Karl Friedrich Schinkel en 1823/24 pour la Porte de Potsdam, constituent le passage vers la *Leipziger Platz*. En arrière plan: l'entrée du
centre commercial Wertheim, de Alfred Messel.

La *Potsdamer Platz* con la torre de tráfico instalada en 1924. Los dos pórticos,
erigidos por Karl Friedrich Schinkel en 1823/24 para la *Potsdamer Tor*, marcan
el umbral con la *Leipziger Platz*. En el fondo, la entrada de los grandes almacenes
Wertheim de Alfred Messel.

La *Potsdamer Platz* con il semaforo installato nel 1924. Le due garitte, costruite
nel 1823/24 da Karl Friedrich Schinkel per la *Potsdamer Tor*, segnano il passag-
gio alla *Leipziger Platz*. Sullo sfondo l'ingresso dei grandi magazzini Wertheim
di Alfred Messel.

Max Missmann, 1930

23

Die 1898 fertig gestellte Doppelbrücke über den Landwehrkanal mit der Viktoria-
straße und der Potsdamer Straße im Vordergrund; diese führt rechts weiter zum
Potsdamer Platz. Die Viktoriabrücke wurde 1938 abgerissen.

The double bridge, completed in 1898, over the *Landwehrkanal*, with *Viktoriastrasse* and *Potsdamer Strasse* in the foreground; the latter continues further to
the right to the *Potsdamer Platz*. The *Viktoriabrücke* was demolished in 1938.

Le double pont franchissant le *Landwehrkanal*, terminé en 1898. A l'avant plan,
la *Viktoriastrasse* et la *Potsdamer Strasse*, qui à partir de la droite conduit à la
Potsdamer Platz. Le pont Viktoria a été abattu en 1938.

El puente doble *Viktoriabrücke*, erigido en 1898 sobre el *Landwehrkanal* con
las calles *Viktoriastrasse* y *Potsdamer Strasse* en el primer plano; ésta lleva a
la derecha hasta la *Potsdamer Platz*. Este puente fue demolido en 1938.

Il doppio ponte sul *Landwehrkanal* terminato nel 1898, la *Viktoriastrasse* e la
Potsdamer Strasse in primo piano. Quest'ultima prosegue a destra verso *Potsdamer Platz*. Il *Viktoriabrücke* fu demolito nel 1938.

Lautz & Isenbeck, 1898

Blick von der Ecke Friedrichstraße / Unter den Linden zum Bahnhof Friedrichstraße. Das Gebäude links wurde 1934 abgerissen und durch das »Haus der
Schweiz« ersetzt – heute ist dies das älteste Haus an der berühmten Kreuzung.

View from the corner of *Friedrichstrasse / Unter den Linden* to the Friedrichstrasse station. The building on the left was demolished in 1934 and replaced by
the "Haus der Schweiz" (Swiss House), which is now the oldest house at this
famous crossroads.

Vue depuis l'angle *Friedrichstrasse / Unter den Linden*, vers la gare de Friedrichstrasse. Le bâtiment de gauche a été rasé en 1934 et remplacé par la « Haus der
Schweiz » (Maison de la Suisse), qui est aujourd'hui la plus ancienne maison de
ce célèbre carrefour.

Vista del cruce *Friedrichstrasse / Unter den Linden* mirando hacia la estación
Friedrichstrasse. El edificio de la izquierda fue destruido en 1934. En su lugar
se erigió la «Haus der Schweiz» (Casa de Suiza), hoy la casa más antigua de este
famoso cruce.

Veduta dall'angolo *Friedrichstrasse / Unter den Linden* verso la stazione di Friedrichstrasse. Il palazzo a sinistra fu demolito nel 1934 e sostituito dalla « Haus der
Schweiz » (Casa della Svizzera), oggi l'edificio più antico del famoso incrocio.

1925

Die Mittelpromenade Unter den Linden mit der »Urania-Säule«; die Stadt ließ nach 1891 dreißig solcher Säulen aufstellen. An der Südostecke zur Friedrichstraße das elegante Café Bauer, von dem Österreicher Matthias Bauer 1878 als erstes »Wiener Café« in Berlin eingerichtet.

The central promenade *Unter den Linden* with the "Urania column"; from 1891, thirty such columns were set up. On the south-east corner in the *Friedrichstrasse* is the elegant Café Bauer, opened in 1878 by the Austrian Matthias Bauer as the first "Viennese coffee house" in Berlin.

La promenade centrale du boulevard *Unter den Linden* et la « colonne Urania »; à partir de 1891, la ville a fait construire trente colonnes de ce type. A l'angle sud-ouest de la *Friedrichstrasse*, l'élégant café Bauer, ouvert par l'Autrichien Matthias Bauer en 1878 comme le premier « Café Viennois » de Berlin.

El paseo *Unter den Linden* con la «Columna Urania»; la ciudad hizo instalar treinta de estas columnas a partir de 1891. En la esquina del sudeste de la *Friedrichstrasse* el elegante Café Bauer, establecido por el austríaco Matthias Bauer en 1878 como primer «café vienés» de Berlín.

Il passeggio centrale lungo *Unter den Linden* con la « colonna Urania ». Dopo il 1891 la municipalità fece erigere trenta di queste colonne. All'angolo sud-est verso *Friedrichstrasse* si vede l'elegante Caffè Bauer. Costruito nel 1878 dall'Austriaco Matthias Bauer, fu il primo « Caffè Viennese » di Berlino.

Max Missmann, 1910

Über den Schlütersteg (im II. Weltkrieg zerstört) gelangten die Fußgänger vom Schiffbauerdamm zum Bahnhof Friedrichstraße. Die 1878–82 errichtete Bahnhofshalle diente dem Stadtbahn- und Vorortverkehr; rechts, an der Ecke Neustädtische Kirchstraße/Reichstagsufer, das Elite-Hotel.

Pedestrians coming from the *Schiffbauerdamm* reached the Friedrichstrasse station by way of the *Schlütersteg* (destroyed in the Second World War). The station hall, built in 1878–82, served urban railway and suburban traffic. To the right, on the corner of the *Neustädtische Kirchstrasse* and the *Reichstag*, is the Elite Hotel.

La passerelle Schlüter (détruite lors de la 2ème guerre mondiale) permettait aux piétons de passer du *Schiffbauerdamm* à la gare de Friedrichstrasse. Les halles de la gare, construites de 1878 à 1882 servait aux lignes de transport citadines et de banlieue; à droite, à l'angle *Neustädtische Kirchstrasse/Reichstagsufer*, l'hôtel Elite.

Por el *Schlütersteg* (destruido en la IIª Guerra Mundial) los peatones pasaban del *Schiffbauerdamm* a la estación de Friedrichstrasse. Esta estación, construida en 1878–82, estaba reservada al tráfico urbano y de cercanías; a la derecha, en la esquina *Neustädtische Kirchstrasse/Reichstagsufer*, el Hotel Elite.

Lo *Schlütersteg* (distrutto nella II Guerra mondiale), il ponte pedonale che collegava la *Schiffbauerdamm* con la stazione di Friedrichstrasse. La stazione, costruita tra il 1878 e il 1882, serviva la rete della ferrovia urbana e quella di collegamento con i sobborghi. A destra l'Hotel Elite, all'angolo *Neustädtische Kirchstrasse/Reichstagsufer*.

Max Missmann, 1905

Blick von der Bahnhofsunterführung Richtung Süden in die Friedrichstraße.
Rechts, an der Ecke Georgenstraße, das Central Hotel, in dem sich seit 1887 der
»Wintergarten« befand – bis in die vierziger Jahre eines der berühmtesten Varietés.

View from the railway station underpass to the south towards the *Friedrichstrasse*.
To the right, on the corner of *Georgenstrasse*, is the Central Hotel, which from
1887 onwards contained the "Wintergarten" – one of the most famous variety
theatres up to the 1940s.

Vue sur la *Friedrichstrasse* côté sud depuis le passage souterrain de la gare. A droite,
au coin de la *Georgenstrasse*, le Central Hotel, où se trouvait depuis 1887 le
« Wintergarten » – un des plus célèbres théâtres de variété jusque dans les années '40.

El paso inferior de la estación mirando a la *Friedrichstrasse* en dirección al sur.
A la derecha, en la esquina *Georgenstrasse*, el Hotel Central, en el que se encontraba el «Wintergarten» – uno de los teatros de variedades más famosos desde 1887
hasta los años 40.

Scorcio della *Friedrichstrasse* dal sottopassaggio ferroviario in direzione sud.
A destra, all'angolo con la *Georgenstrasse*, si vede l'Hotel Central, che dal 1887
ospitò il « Wintergarten » – fino agli anni '40 uno dei variété più in voga.

ca. 1930

Pferde-Omnibus der ABOAG; seit die Gesellschaft 1905 erste mit Benzinmotoren ausgerüstete Omnibuswagen eingesetzt hatte, wurden solche Wagen mehr und mehr verdrängt. 1923 stellte die Gesellschaft den Betrieb der letzten Pferdebahnlinie in Berlin ein.

Horse-drawn omnibus of the ABOAG company; in 1905 this company introduced the first omnibus carriages fitted with petrol engines, after which the horse-drawn carriages were gradually withdrawn. In 1923 the company closed down the last horse-drawn line in Berlin.

Omnibus hippomobiles de la société ABOAG, qui en introduisant des bus à moteur essence en 1905, a remplacé peu à peu ces voitures à chevaux. En 1923, la société supprime la dernière ligne hippomobile de Berlin.

Ómnibus de caballos de la ABOAG; estos coches fueron desapareciendo paulatinamente desde que en 1905 la compañía empezó a introducir ómnibuses provistos de motores de gasolina. En 1923 la compañía suprimió la última línea de caballos en Berlín.

Omnibus a cavalli della ABOAG. Questo mezzo di trasporto iniziò a scomparire nel 1905 con l'introduzione dei primi omnibus con motore a benzina. Nel 1923 l'azienda dei trasporti berlinese mise fuori servizio l'ultima linea di omnibus a cavalli.

ca. 1910

Der Boulevard Unter den Linden, aufgenommen in Richtung des Berliner Stadt-schlosses. Rechts das Königliche Opernhaus (heute Deutsche Staatsoper), im Vordergrund das 1851 aufgestellte Reiterstandbild Friedrich des Großen von Christian Daniel Rauch.

The boulevard *Unter den Linden*, looking in the direction of the *Berliner Stadt-schloss*. Right, the Royal Opera House (today the German State Opera, the *Deutsche Staatsoper*), in the foreground the equestrian statue of Frederick the Great of 1851, by Christian Daniel Rauch.

Le boulevard *Unter den Linden*, photographié dans la direction du *Berliner Stadt-schloss*. A droite, la *Königliche Opernhaus* – l'opéra royal –, aujourd'hui *Deutsche Staatsoper*. A l'avant plan, la statue de Frédéric le Grand à cheval réalisée par Christian Daniel Rauch, dressée en 1851.

El bulevar *Unter den Linden*, fotografiado en dirección al Castillo de la Ciudad. A la derecha la Ópera Real – hoy denominada *Deutsche Staatsoper* (Ópera Estatal Alemana) –, en el primer plano la estatua ecuestre de Federico el Grande de Chris-tian Daniel Rauch, erigida en 1851.

Il boulevard *Unter den Linden* fotografato in direzione del *Berliner Stadtschloss*. A destra l'Opera regia (l'odierna *Deutsche Staatsoper*), in primo piano la statua equestre di Federico il Grande di Christian Daniel Rauch, eretta nel 1851.

1901

Die um 1700 entstandene Schlüterfassade des Berliner Stadtschlosses, das im II. Weltkrieg schwer beschädigt und 1951 von der DDR abgerissen wurde. Im Vordergrund die Kurfürstenbrücke (heute Rathausbrücke) mit dem Denkmal des Großen Kurfürsten von Andreas Schlüter.

The Schlüter façade, created *c.* 1700, of the *Berliner Stadtschloss*, which was seriously damaged in the Second World War and demolished in 1951 under the GDR. In the foreground, the *Kurfürstenbrücke* (today the *Rathausbrücke*) with memorial to Frederick William, the Great Elector, by Andreas Schlüter.

La façade Schlüter du *Berliner Stadtschloss*, datant de 1700 environ, fortement endommagée au cours de la 2ème guerre mondiale et rasée en 1951 par la RDA. A l'avant plan, le pont *Kurfürstenbrücke* (aujourd'hui *Rathausbrücke*), avec la statue du grand Prince Electeur de Andreas Schlüter.

La fachada de Schlüter del Castillo, que, construido hacia 1700, fue parcialmente destruido en la IIª Guerra Mundial y demolido en 1951 por el gobierno de la RDA. En primer plano, el Puente del Príncipe Elector – hoy *Rathausbrücke* (Puente del Ayuntamiento) – con la estatua del Gran Príncipe Elector de Andreas Schlüter.

La cosiddetta *Schlüterfassade* dello *Berliner Stadtschloss* risalente al 1700. Gravemente danneggiata durante la II Guerra mondiale, fu demolita nel 1951 dal governo della DDR. In primo piano il *Kurfürstenbrücke* (l'odierno *Rathausbrücke*) con il monumento al Grande Principe elettore di Andreas Schlüter.

Neue Photographische Gesellschaft, 1905

Blick auf den Lustgarten mit dem 1905 fertig gestellten protestantischen Dom und dem Alten Museum (links), das 1824–28 nach Plänen Karl Friedrich Schinkels errichtet wurde. Von Schinkel stammen auch die Entwürfe für die Schlossbrücke im Vordergrund.

View of the pleasure garden with the Protestant Cathedral, completed in 1905, and the *Altes Museum* (Old Museum) (left), built in 1824–28 to the designs of Karl Friedrich Schinkel. The designs for the *Schlossbrücke* (in the foreground) are also by Schinkel.

Vue sur le *Lustgarten*, avec le dôme protestant terminé en 1905, et le *Altes Museum* (Vieux Musée) (à g.), construit entre 1824 et 1828 selon les plans de Karl Friedrich Schinkel. Ce dernier fut aussi à l'origine du projet pour le *Schlossbrücke* (pont du château), à l'arrière plan.

Vista del *Lustgarten* con la catedral protestante concluida en 1905 y, a la izquierda, el *Altes Museum* (Museo Antiguo), erigido en 1824–28 según planos de Karl Friedrich Schinkel. Schinkel fue asimismo el diseñador del *Schlossbrücke* (Puente del Castillo) que aparece en el primer plano.

Scorcio del *Lustgarten* con il Duomo protestante terminato nel 1905 e l'*Altes Museum* (Museo Vecchio) (a sinistra) costruito nel 1824–28 su progetto di Karl Friedrich Schinkel. Di Schinkel sono anche i disegni per lo *Schlossbrücke* che si vede in primo piano.

Max Missmann, 1909

Würstchenverkäufer auf der Schlossbrücke, einer von etwa 20 000 Berlinern, die ihr Geld als Straßenhändler verdienten. Als Altberliner Original galt Wurstmaxe, der seine Ware auf der Weidendammer Brücke anbot – mit Monokel und chapeau claque.

Sausage seller on the *Schlossbrücke*, one of some 20,000 Berliners who made a living as street traders. "Wurstmaxe", who sold his wares on the Weidendammer Bridge – wearing a monocle and opera hat – was a well-known character of old Berlin.

Vendeur de saucisses sur le pont *Schlossbrücke*, ou un des quelques 20 000 berlinois qui gagnaient leur vie comme vendeur de rue. Un berlinois typique était « Wurstmaxe », avec son monocle et son chapeau claque, qui proposait ses produits sur le pont Weidendammer.

Un vendedor de salchichas en el *Schlossbrücke*. Aproximadamente 20 000 berlineses se ganaban la vida como vendedores callejeros. Un personaje típicamente berlinés era «Wurstmaxe», que – con monóculo y sombrero de copa – tenía su tenderete en el *Weidendammer Brücke*.

Un venditore di würstel sullo *Schlossbrücke*. Una figura classica tra i circa 20 000 venditori ambulanti berlinesi dell'epoca era « Wurstmaxe » che offriva la propria merce sul *Weidendammer Brücke* vestito con monocolo e tuba.

Max Missmann, 1906

Der zu Beginn des 18. Jahrhunderts errichtete Französische Dom (im Hintergrund) und der Deutsche Dom bilden mit dem 1821 eröffneten Schauspielhaus von Karl Friedrich Schinkel (heute das Konzerthaus Berlin) das großartige Platzensemble am Gendarmenmarkt.

The French Cathedral, built in the early 18th century (in the background), and the German Cathedral, together with the theatre by Karl Friedrich Schinkel opened in 1821 (today the *Konzerthaus Berlin*), form the impressive ensemble of the square of the *Gendarmenmarkt*.

L'eglise française (à l'arrière plan) érigé au début du 18ème siècle et l'eglise allemande constituent, avec le théâtre de Karl Friedrich Schinkel inauguré en 1821 (aujourd'hui la *Konzerthaus Berlin*), l'ensemble de la magnifique place du *Gendarmenmarkt*.

La Catedral Francesa, construida a principios del siglo XVIII, en el fondo, la Catedral Alemana y el antiguo teatro – hoy *Konzerthaus Berlin* – inaugurado en 1821 por Karl Friedrich Schinkel forman un majestuoso conjunto en el *Gendarmenmarkt*.

Le due chiese gemelle, il duomo francese eretto all'inizio del XVIII secolo (sullo sfondo) ed il duomo tedesco, formavano con lo *Schauspielhaus* di Karl Friedrich Schinkel (l'odierno *Konzerthaus Berlin*) costruito nel 1821, l'armonioso complesso del *Gendarmenmarkt*.

Waldemar Titzenthaler, ca. 1900

Die Königstraße (heute Rathausstraße) am Bahnhof Alexanderplatz. Die 1777 von Karl von Gontard errichteten Königskolonnaden wurden 1910 abgetragen und am Kleistpark wieder aufgestellt. Im Hintergrund der Turm der im II. Weltkrieg zerstörten Georgenkirche.

The *Königstrasse* (today *Rathausstrasse*) at the Alexanderplatz railway station. The royal colonnades built by Karl von Gontard in 1777 were removed in 1910 and reerected in the *Kleistpark*. In the background is the tower of the *Georgenkirche*, a church destroyed in the Second World War.

La *Königstrasse* (aujourd'hui *Rathausstrasse*), à la gare de l'Alexanderplatz. Les colonnades royales érigées en 1777 par Karl von Gontard ont été déplacées en 1910 au *Kleistpark*. A l'arrière plan, le clocher de l'église *Georgenkirche*, détruite pendant la 2ème guerre mondiale.

La Calle Real – hoy *Rathausstrasse* – junto a la estación Alexanderplatz. Las Columnatas Reales, erigidas en 1777 por Karl von Gontard fueron trasladadas en 1910 al *Kleistpark*. En el fondo la torre de la Iglesia de San Jorge, destruida en la IIª Guerra Mundial.

La *Königstrasse* (l'odierna *Rathausstrasse*) con la stazione di Alexanderplatz. Nel 1910 le *Königskolonnaden*, il doppio colonnato costruito nel 1777 da Karl von Gontard, furono trasferite a *Kleistpark*. Sullo sfondo il campanile della *Georgenkirche*, distrutta nella II Guerra mondiale.

Waldemar Titzenthaler, 1909

Der Alexanderplatz mit dem 1905 eröffneten Warenhaus Hermann Tietz (später Hertie), davor das Standbild der Berolina. Zwischen Kaufhaus und Bahnhof wurde Anfang der 1930er Jahre das Alexanderhaus von Peter Behrens errichtet.

The *Alexanderplatz* with the department store Hermann Tietz (later Hertie), opened in 1905, with the statue of Berolina in front. In the early 1930s the *Alexanderhaus* was built by Peter Behrens between the store and the railway station.

L'*Alexanderplatz*, où s'est ouvert en 1905 le centre commercial Hermann Tietz (plus tard Hertie). A l'avant, la statue de la Berolina. Au début des années '30 a été construite l'*Alexanderhaus* de Peter Behrens, entre le grand magasin et la gare.

La *Alexanderplatz* con los grandes almacenes Hermann Tietz inaugurados en 1905 – más tarde Hertie – con la estatua de la Berolina delante. Entre los almacenes y la estación se levantaría a principios de los años 30 la *Alexanderhaus* de Peter Behrens.

Alexanderplatz con i grandi magazzini Hermann Tietz (poi Hertie) aperti nel 1905 e la statua della Berolina. Negli anni '30 del '900, tra i grandi magazzini e la stazione fu costruita la *Alexanderhaus* di Peter Behrens.

Max Missmann, 1906

Ecke Leipziger Straße/Friedrichstraße, Blick in Richtung Norden. Neben dem Potsdamer Platz zählte diese Kreuzung zu den belebtesten der Stadt. Mit ihren Kaufhäusern, Geschäften und Vergnügungsetablissements waren beide Straßen ein beliebtes Ziel von Berlinern und Touristen.

View to the north from the corner of *Leipziger Strasse/Friedrichstrasse*. Apart from the *Potsdamer Platz* this was one of the liveliest crossroads in the city. With their department stores, shops and bars, both streets were popular with Berliners and tourists.

Angle *Leipziger Strasse/Friedrichstrasse*, vue vers le nord. Après la *Potsdamer Platz*, ce carrefour était un des plus fréquentés de la ville. Avec leurs grands magasins, leurs boutiques et leurs établissements de divertissement, ces deux rues étaient un lieu très apprécié des Berlinois et des touristes.

El cruce *Leipziger Strasse/Friedrichstrasse* mirando al norte. Junto a la *Potsdamer Platz*, éste era uno de los cruces con más tránsito de la ciudad. Con sus almacenes, negocios y ofertas de ocio, ambas calles eran uno de los sitios más concurridos por berlineses y turistas.

Scorcio in direzione nord dell'angolo *Leipziger Strasse/Friedrichstrasse*, il crocevia più animato della città insieme a *Potsdamer Platz*. Numerosi grandi magazzini, negozi e locali di divertimento facevano delle due strade una delle mete preferite dei Berlinesi e dei turisti.

1926

51

Das Dach des Anhalter Bahnhofs während der Bauphase. 1876, als der 1839–41 angelegte Endbahnhof der Sächsischen Eisenbahn dem wachsenden Verkehr nicht mehr genügte, war mit der Errichtung des neuen Gebäudes nach Plänen von Franz Schwechten begonnen worden.

The roof of the Anhalt railway station during building works. In 1876, when the terminus of the Saxony railway line, built in 1839–41, was no longer able to cope with the increasing traffic, work began on the construction of the new building to the designs of Franz Schwechten.

Toit de la gare *Anhalter Bahnhof* en cours de construction. Les travaux d'édification du nouveau bâtiment, selon les plans de Franz Schwechten, commencèrent en 1876. La gare terminus du chemin de fer de Saxe, aménagée vers 1839–41, ne suffisait plus au trafic toujours grandissant.

El tejado de la *Anhalter Bahnhof* en la fase de construcción. Esta nueva estación, diseñada por Franz Schwechten en 1876, se empezó a construir cuando la estación final de los Ferrocarriles Sajones, construida en 1839–41, empezó a ser insuficiente para el creciente tráfico.

Il tetto della *Anhalter Bahnhof* in costruzione. Nel 1876, quando la stazione terminale della compagnia ferroviaria *Sächsische Eisenbahn*, costruita nel periodo 1839–41, non riuscì più ad assorbire il traffico in continuo aumento, venne ingrandita su progetto di Franz Schwechten.

1879

Der Anhalter Bahnhof, im Vordergrund links die Königgrätzer Straße (heute Stresemannstraße). Die 170 m lange und 60 m breite Bahnhofshalle, im II. Weltkrieg stark zerstört, wurde 1959/60 abgerissen, lediglich ein Fragment des Portikus blieb als Mahnmal stehen.

Anhalt railway station, with the *Königgrätzer Strasse* (today *Stresemannstrasse*) to the left in the foreground. The station concourse, 170 m long and 60 m wide, seriously damaged in the Second World War, was demolished in 1959/60. Only a fragment of the main entrance remains as a memorial.

La gare *Anhalter Bahnhof*, et à l'avant plan gauche la *Königgrätzer Strasse* (aujourd'hui *Stresemannstrasse*). Les halles de la gare, de 170 m de long et 60 m de large, fortement détruites pendant la 2ème guerre mondiale, ont été rasées en 1959/60. Seul un fragment du portique existe encore, en tant que monument.

La *Anhalter Bahnhof*, en primer plano, y, a la izquierda, la *Königgrätzer Strasse* (hoy *Stresemannstrasse)*. La nave de la estación de 170 m de longitud y 60 m de ancho, gravemente dañada en la IIª Guerra Mundial, fue demolida en 1959/60, dejándose sólo un fragmento del portal como monumento exhortatorio.

Anhalter Bahnhof e, in primo piano a sinistra, la *Königgrätzer Strasse* (l'odierna *Stresemannstrasse*). L'atrio della stazione lungo 170 m e largo 60 m, distrutto nella II Guerra mondiale, fu demolito nel 1959/60. Rimase in piedi solo un frammento del portico come monumento commemorativo.

Max Missmann, 1927

Droschkenkutscher am Anhalter Bahnhof. Mitte der zwanziger Jahre hatten
Pferdedroschken schon Seltenheitswert. Von den 8114, die es noch im Jahr 1900
gegeben hatte, waren 1929 nur 226 übrig geblieben; die Zahl der Kraftdroschken
stieg dagegen im gleichen Zeitraum von 1 auf 9129.

Hackney coachman at Anhalt railway station. In the mid-1920s horse-drawn
hackney carriages had already become a rarity. Of the 8,114 that still existed in
1900, only 226 remained in 1919, while during the same period the number of
motorised carriages rose from 1 to 9,129.

Fiacre devant la gare *Anhalter Bahnhof*. Au milieu des années '20, les calèches
étaient déjà une rareté. S'il y en avait 8114 en 1900, seules 226 existaient encore
en 1929; par contre le nombre des voitures à moteur passa, au cours de cette
même période, de 1 à 9129.

Cochero junto a la *Anhalter Bahnhof*. A mediados de los años 20 los taxis tirados
por caballos ya empezaban a escasear. De los 8.114 que la ciudad contaba aún en
el año 1900, en 1929 sólo quedaban 226; en cambio, el número de taxis automóviles aumentó en el mismo período de 1 a 9.129.

Vetturino di piazza davanti ad *Anhalter Bahnhof*. A metà degli anni '20 del '900
i fiacre erano già una rarità. Degli 8114 ancora in circolazione nel 1900, nel 1929
ne rimanevano solo 226, mentre nello stesso periodo il numero di vetture con
trazione a motore passò da 1 a 9129.

1926

Siegessäule und Bismarck-Denkmal auf dem Platz der Republik vor dem Reichstagsgebäude. Die 1873 als Nationaldenkmal eingeweihte Siegessäule wurde 1938
im Rahmen der Umgestaltung Berlins zur Reichshauptstadt »Germania« auf den
Großen Stern versetzt.

Victory column and Bismarck memorial on the *Platz der Republik*, in front of the
Reichstag building. The victory column, dedicated as a national memorial in 1873,
was moved in 1938 to the *Grosser Stern* in the context of the remodelling of Berlin
to become the capital of the Reich, "Germania".

La *Siegessäule* (colonne de la victoire) et la statue de Bismarck sur la Place de
la République, devant le *Reichstag*. La *Siegessäule*, inaugurée en 1873 comme
monument national, a été déplacée au carrefour de la grande étoile en 1938, dans
le cadre de la réorganisation de Berlin comme capitale du Reich, « Germania ».

La *Siegessäule* (Columna de la Victoria) y la estatua de Bismarck en la *Platz der
Republik* frente al edificio del *Reichstag*. La *Siegessäule*, inaugurada en 1873 como
monumento nacional, fue trasladada a la plaza *Grosser Stern* en 1938 en el marco
de la remodelación de Berlín como capital del «Reich».

La *Siegessäule* (colonna della vittoria) e il monumento a Bismarck nella Piazza
della Repubblica davanti al *Reichstag*. La *Siegessäule*, inaugurata nel 1873 come
monumento nazionale, fu trasferita al centro della *Grosser Stern* nel 1938 nell'ambito del progetto di trasformazione di Berlino nella capitale « Germania ».

Max Missmann, 1932

20317

Das nach Plänen von Paul Wallot errichtete Reichstagsgebäude war 1894 eingeweiht worden. Noch fehlt der Schriftzug »Dem deutschen Volke« über der Säulenreihe; er wurde erst 1916 angebracht – nach langen Diskussionen, in die sich auch Wilhelm II. eingemischt hatte.

The *Reichstag* building, erected to the designs of Paul Wallot, was officially opened in 1894. The inscription "Dem deutschen Volke" (To the German People) above the row of columns is not seen here; it was not added until 1916 – after long discussions in which Wilhelm II also became involved.

L'édifice du *Reichstag*, érigé selon les plans de Paul Wallot, fut inauguré en 1894. Ne manque, au-dessus de la colonnade, que l'inscription « Dem deutschen Volke » (Au peuple allemand), qui fut apposée en 1916 après de longues discussions auxquelles s'était aussi mêlé Wilhelm II.

El edificio del *Reichstag*, erigido según los planos de Paul Wallot, fue inaugurado en 1894. Todavía faltaba la inscripción «Dem deutschen Volke» (Al pueblo alemán) sobre la hilera de columnas; no se colocó hasta 1916, tras largas discusiones en las que incluso había intervenido Guillermo II.

L'edificio del *Reichstag*, costruito su progetto di Paul Wallot, era stato inaugurato nel 1894. Sul frontone sopra il colonnato non spiccava ancora l'iscrizione « Dem deutschen Volke » (Al Popolo Tedesco) aggiunta solo nel 1916, dopo un lungo dibattito nel quale intervenne anche Guglielmo II.

Max Missmann, ca. 1905

61

Von der Spandauer Straße führte die Nikolaikirchgasse direkt zur Nikolaikirche. Von der Bebauung ringsum war nach dem II. Weltkrieg nichts mehr geblieben; erst in den 1980er Jahren entstand hier wieder das Nikolaiviertel.

From the *Spandauer Strasse*, the *Nikolaikirchgasse* led straight to the Nikolai church. Of the buildings round about, nothing remained after the Second World War; it was only in the 1980s that the Nikolai quarter was restored here.

Depuis la *Spandauer Strasse*, la ruelle *Nikolaikirchgasse* menait directement à l'église St-Nicolas. Tous les bâtiments aux alentours ont été détruits pendant la 2ème guerre mondiale. Il a fallu attendre les années '80 pour que renaisse le quartier Nikolai.

La *Nikolaikirchgasse* llevaba directamente desde la *Spandauer Strasse* a la *Nikolaikirche* (Iglesia de San Nicolás). De los edificios colindantes no quedó nada tras la IIª Guerra Mundial; el barrio Nikolai no sería restaurado hasta los años 80.

Dalla *Spandauer Strasse* la *Nikolaikirchgasse* portava direttamente alla *Nikolai-kirche*. Dopo la II Guerra mondiale degli edifici attorno alla chiesa non restò più nulla. Il quartiere Nikolai fu ricostruito solo negli anni '80 del '900.

F. Albert Schwartz, ca. 1885

Die Burgstraße an der Spree, zwischen Rathaus- und Mühlendammbrücke. Dahinter die Türme der Nikolaikirche, des ältesten erhaltenen Bauwerks Berlins. Das neogotische Turmpaar erhielt die 1230 entstandene Kirche allerdings erst 1878.

The *Burgstrasse* on the Spree, between the *Rathausbrücke* and *Mühlendammbrücke*. At the back, the towers of the *Nikolaikirche*, the oldest preserved building in Berlin. The pair of neo-Gothic towers, however, were not added to the church, which dates from 1230, until 1878.

La *Burgstrasse* au bord de la Spree, entre les ponts *Rathausbrücke* et *Mühlendammbrücke*. A l'arrière, les clochers de l'église St-Nicolas, le plus ancien édifice de Berlin conservé. L'église, construite à partir de 1230, n'a cependant reçu ses tours jumelles néogothiques qu'en 1878.

La *Burgstrasse* junto al río Spree, entre los puentes *Rathausbrücke* y *Mühlendammbrücke*. Detrás, las torres de la *Nikolaikirche*, el edificio más antiguo que se conserva de Berlín. Las dos torres neogóticas de esta iglesia erigida en 1230 son del año 1878.

La *Burgstrasse* lungo la Sprea tra il *Rathausbrücke* ed il *Mühlendammbrücke*. Dietro, le torri della *Nikolaikirche*, l'edificio più antico di Berlino ancora conservato. Le due torri neogotiche furono aggiunte alla chiesa, risalente al 1230, solo nel 1878.

F. Albert Schwartz, 1888

Die Klosterstraße, benannt nach der im II. Weltkrieg zerstörten Franziskanerklosterkirche (nicht im Bild), mit der gleichnamigen U-Bahnstation und dem Palais Podewil (hinten links). Der Turm der Anfang des 18. Jahrhunderts errichteten Parochialkirche brannte 1944 aus.

Klosterstrasse, named after the Franciscan monastery church (not in the picture) destroyed in the Second World War, with the underground station of the same name and the Palais Podewil (left at the back). The tower of the early-18th-century parish church was destroyed by fire in 1944.

La rue *Klosterstrasse*, dont le nom provient du cloître franciscain (pas sur la photo) détruit pendant la 2ème guerre mondiale, avec la station de métro du même nom et le Palais Podewil (à l'arrière, gauche). Le clocher de l'Eglise Paroissiale, construite au début du 18ème siècle, a entièrement brûlé en 1944.

La *Klosterstrasse*, que debía su nombre a la Iglesia del Convento de los Franciscanos (no aparece en la foto) destruida durante la IIª Guerra Mundial, con la estación de metro del mismo nombre y el Palacio Podewil (al fondo a la izquierda). La torre de la Iglesia Parroquial construida a principios del siglo XVIII fue destruida en un incendio en 1944.

La *Klosterstrasse*, così chiamata in ricordo della chiesa del convento dei francescani (non appare nella foto) distrutta nella II Guerra mondiale, l'omonima stazione della metropolitana e il Palazzo Podewil (sullo sfondo a sinistra). Nel 1944 il campanile della chiesa risalente all'inizio del XVIII secolo fu distrutto da un incendio.

Max Missmann, 1913

Wirtsleute, Gäste und Bierfahrer vor einer Eckkneipe in der Blücherstraße. Die Zahl der Bierlokale nahm um die Jahrhundertwende ständig zu, da dort die vielen kleinen Angestellten billig speisen konnten. Gewinn brachte den Wirten und Brauereien der Bierumsatz.

Landlord and staff, guests and brewery delivery men in front of a corner bar in *Blücherstrasse*. The number of establishments serving beer was steadily increasing at the turn of the century, as they were cheap places to eat for the many shop and office employees. The profit for the landlords and breweries was in the money made from the sale of beer.

Cafetiers, clients et vendeurs de bière devant une taverne dans la *Blücherstrasse*. Le nombre de cafés n'a cessé de croître autour de 1900, car beaucoup de petits employés pouvaient y manger bon marché. C'est la vente de bière qui rapportait le plus aux cafetiers et brasseries.

Taberneros, huéspedes y repartidores de cerveza delante de una taberna en la *Blücherstrasse*. El número de cervecerías aumentó constantemente en los alrededores de 1900, puesto que ofrecían comida barata a los numerosos pequeños empleados. Los taberneros y las fábricas de cerveza vivían sobre todo de la venta de cerveza.

Osti, clienti e vetturini dei carri della birra davanti ad un'osteria nella *Blücherstrasse*. All'inizio del '900 il numero delle birrerie, dove i piccoli impiegati potevano mangiare a poco prezzo, era in costante aumento. Osti e birrerie guadagnavano sulla vendita della birra.

ca. 1910

69

Die Jungfernbrücke ist die letzte erhaltene von insgesamt neun Holzzugbrücken über den Spreekanal aus dem Ende des 17. Jahrhunderts. Von der Bebauung an der Friedrichsgracht ist nichts mehr erhalten, die Brücke allerdings gibt es noch immer.

The *Jungfernbrücke* is the last to be preserved of a total of nine wooden draw-bridges over the Spree canal from the late 17th century. Nothing is left of the buildings on the *Friedrichsgracht*, but the bridge still exists.

Le pont *Jungfernbrücke*, qui franchit le canal de la Spree, est le dernier de neuf ponts-levis de bois et a survécu depuis le 17ème siècle. Les bâtiments au bord du canal Friedrich n'existent plus, mais le pont a été conservé.

El *Jungfernbrücke* es el último puente que se conserva de un total de nueve puentes de madera que atravesaban el canal del Spree a finales del siglo XVII. De los edificios junto al *Friedrichsgracht* no ha quedado nada, pero el puente aún existe.

Il *Jungfernbrücke* è l'ultimo ad essersi conservato dei nove ponti in legno eretti alla fine del XVII secolo sul canale della Sprea. Mentre il ponte c'è ancora, degli edifici lungo il *Friedrichsgracht* non rimane più nulla.

Rudolf Dührkoop, ca. 1910

Eckhaus Mulack-/Rückerstraße, aufgenommen in Richtung Alte Schönhauser Straße. Die Gegend jenseits von Alexanderplatz und Hackeschem Markt, nach 1800 offiziell Rosenthaler Vorstadt genannt, zählte um 1900 zu den ärmsten und verrufensten Vierteln Berlins.

Corner house of *Mulackstrasse/Rückerstrasse*, looking in the direction of *Alte Schönhauser Strasse*. The district on the far side of the *Alexanderplatz* and *Hackescher Markt*, after 1800 officially known as *Rosenthaler Vorstadt*, was around 1900 considered among the poorest and most disreputable parts of Berlin.

Maison d'angle *Mulackstrasse/Rückerstrasse*. Cliché pris en direction de la *Alte Schönhauser Strasse*. Le quartier situé derrière l'*Alexanderplatz* et *Hackescher Markt*, appelé officiellement *Rosenthaler Vorstadt* à partir de 1800, comptait vers 1900 parmi les quartiers les plus pauvres et les plus mal famés de Berlin.

La esquina *Mulackstrasse/Rückerstrasse*, fotografiada en dirección a la *Alte Schönhauser Strasse*. La zona que se extendía más allá de la *Alexanderplatz* y el *Hackescher Markt*, llamada a partir de 1800 oficialmente *Rosenthaler Vorstadt*, era hacia 1900 uno de los barrios más pobres y de peor reputación de Berlín.

Edificio all'angolo *Mulackstrasse/Rückerstrasse* fotografato in direzione *Alte Schönhauser Strasse*. Intorno al 1900 la zona dietro *Alexanderplatz* e *Hackescher Markt*, dal 1800 in poi ufficialmente chiamata *Rosenthaler Vorstadt*, era uno dei rioni più poveri e malfamati di Berlino.

F. Albert Schwartz, ca. 1885

Fischhändler vor der 1886 eröffneten Zentralmarkthalle am Alexanderplatz. In der Folgezeit entstanden überall in der Stadt weitere Markthallen; damit einher ging die Schließung der innerstädtischen Wochenmärkte, z. B. auf dem Gendarmenmarkt.

Fish sellers in front of the central market hall at the *Alexanderplatz*, opened in 1886. From this time on, further market halls were created all over the city; this was accompanied by the closing of the inner city weekly markets, for example the one at the *Gendarmenmarkt*.

Vendeur de poisson devant les halles centrales *Alexanderplatz*, inaugurées en 1886. D'autres marchés aux halles se sont ensuite ouverts un peu partout dans la ville, ce qui a conduit à la fermeture des marchés citadins hebdomadaires, par ex. celui du *Gendarmenmarkt*.

Pescaderos frente al mercado central, inaugurado en 1886 en la *Alexanderplatz*. En los años siguientes surgirían en toda la ciudad otros mercados cubiertos; paralelamente se fueron cerrando los mercados semanales de la ciudad, p. ej. en el *Gendarmenmarkt*.

Pescivendoli davanti al mercato coperto inaugurato nel 1886 ad *Alexanderplatz*. Negli anni seguenti si costruirono in tutta la città altri mercati coperti, mentre furono chiusi i mercati settimanali all'interno della città come quello di *Gendarmenmarkt*.

Zander & Labisch, 1896

Der Hackesche Markt, links die Neue Promenade, rechts die Oranienburger Straße. Seinen Namen erhielt der Platz nach Johann Christoph Friedrich Graf von Hacke, der im 18. Jahrhundert die Neubebauung des Platzes geleitet hatte.

Hackescher Markt, on the left the *Neue Promenade*, on the right the *Oranienburger Strasse*. The square was named after Johann Christoph Friedrich Graf von Hacke, who directed its rebuilding in the 18th century.

Hackescher Markt, à gauche la *Neue Promenade*, à droite la *Oranienburger Strasse*. C'est Johann Christoph Friedrich Graf von Hacke qui a donné son nom à cette place, ayant dirigé les travaux de réaménagement de celle-ci au 18ème siècle.

Hackescher Markt, a la izquierda el paseo *Neue Promenade*, a la derecha la *Oranienburger Strasse*. Esta plaza debía su nombre a Johann Christoph Friedrich conde de Hacke, que en el siglo XVIII había dirigido su remodelación.

Hackescher Markt, a sinistra la *Neue Promenade*, a destra la *Oranienburger Strasse*. La piazza fu intitolata al conte Johann Christoph Friedrich Graf von Hacke che nel XVII secolo diresse i lavori di rifacimento della piazza e degli edifici circostanti.

Hermann Rückwardt, 1871

Hof in der Dorotheenstraße 32. Um 1900 gab es in dieser Gegend, der ehemaligen Dorotheenstadt, noch einige Häuser aus der Entstehungszeit des Viertels, das die Kurfürstin Dorothea um 1700 hatte errichten lassen.

Courtyard at 32 *Dorotheenstrasse*. Around 1900 this district, the former *Dorotheenstadt*, still included some houses from the period when the district came into being, which were built about 1700 for the Electress Dorothea.

Cour au 32 *Dorotheenstrasse*. Ce quartier, l'ancienne ville de *Dorotheenstadt*, comptait vers 1900 encore quelques maisons datant de sa construction, que la princesse électrice Dorothea avait fait faire vers 1700.

Un patio en la *Dorotheenstrasse* 32. Hacia 1900 se conservaban aún en esta zona, la antigua Ciudad Dorothea, algunas de las casas de los primeros tiempos del barrio, hecho construir por la Princesa Dorothea hacia 1700.

Cortile interno nella *Dorotheenstrasse* 32. Intorno al 1900 qui, nella ex *Dorotheenstadt*, c'erano ancora case risalenti all'epoca in cui sorse il quartiere, fatto costruire intorno al 1700 dalla Principessa elettrice Dorothea.

ca. 1900

Kaufhaus Wertheim in Kreuzberg. Es wurde 1913 nach Plänen von Eugen Schmohl an der Südostecke des Moritzplatzes zwischen Prinzen-, Oranien- und Prinzessinnenstraße errichtet und nach der Zerstörung im II. Weltkrieg nicht wieder aufgebaut.

The Wertheim department store in *Kreuzberg*. It was built in 1913 from plans by Eugen Schmohl, at the south-east corner of *Moritzplatz*, between *Prinzenstrasse*, *Oranienstrasse* and *Prinzessinnenstrasse*, destroyed during the Second World War and never rebuilt.

Grand magasin Wertheim à *Kreuzberg*, construit en 1913 selon les plans de Eugen Schmohl, à l'angle sud-est de la *Moritzplatz* entre la *Prinzenstrasse*, la *Oranienstrasse* et la *Prinzessinnenstrasse*. Détruit pendant la 2ème guerre mondiale, il n'a pas été reconstruit.

Los grandes almacenes Wertheim en el barrio de *Kreuzberg*. Fueron construidos en 1913 según planes de Eugen Schmohl en la esquina sureste de la *Moritzplatz* entre las calles *Prinzenstrasse*, *Oranienstrasse* y *Prinzessinnenstrasse*. Tras su destrucción en la IIª Guerra Mundial no fueron reconstruidos.

I grandi magazzini Wertheim a *Kreuzberg*. Costruiti nel 1913 da Eugen Schmohl all'angolo sud-est di *Moritzplatz*, all'incrocio tra *Prinzenstrasse*, *Oranienstrasse* e *Prinzessinnenstrasse*, dopo la loro distruzione durante la II Guerra mondiale non furono più ricostruiti.

Max Missmann, 1914

Kaufhaus Karstadt in Neukölln von Architekt Philipp Schaefer. Das im Juni 1929 eröffnete Haus am Hermannplatz verfügte über zwei Tiefgeschosse mit unmittelbarer U-Bahn-Anbindung, sieben Obergeschosse, zwei 25 m hohe Türme und einen öffentlich zugänglichen Dachgarten.

The Karstadt department store in *Neukölln*, by the architect Philipp Schaefer. Opened in June 1929 on the *Hermannplatz*, it had two storeys below ground with direct access to the underground and seven storeys above ground, two 25-metre-high towers and a roof garden open to the general public.

Grand magasin Karstadt de l'architecte Philipp Schaefer, à *Neukölln*. Le magasin, situé *Hermannplatz* et inauguré en juin 1929, comprenait deux étages en sous-sol avec liaison directe vers le métro, ainsi que sept autres étages, deux tours hautes de 25 m, et sur le toit, un jardin ouvert au public.

Los grandes almacenes Karstadt en el barrio de *Neukölln*, obra del arquitecto Philipp Schaefer. Este edificio, inaugurado en junio de 1929 junto a la *Hermannplatz*, constaba de dos pisos subterráneos con conexión directa con el metro, siete pisos de altura, dos torres de 25 m y un jardín accesible al público en el tejado.

I grandi magazzini Karstadt dell'architetto Philipp Schaefer nel quartiere di *Neukölln*. L'edificio nella *Hermannplatz*, inaugurato nel giungo del 1929, aveva nove piani, di cui due interrati e direttamente collegati alla metropolitana, due torri alte 25 metri e un giardino pensile aperto al pubblico.

Max Missmann, 1931

Kaiserliche Soldaten auf dem Weg vom Exerzierplatz Tempelhofer Feld in die Kaserne. Sie überqueren den Blücherplatz in Richtung Belle-Alliance-Platz (heute Mehringplatz), links der Bahnhof Hallesches Tor der 1902 eröffneten Hochbahn (U-Bahnlinie 1).

Imperial soldiers on the way from the parade ground *Tempelhofer Feld* to the barracks. They are crossing the *Blücherplatz* in the direction of *Belle-Alliance-Platz* (today *Mehringplatz*), on the left the *Hallesches Tor* station of the overhead railway opened in 1902 (underground line 1).

Soldats impériaux de retour du terrain d'exercice de *Tempelhofer Feld*, en chemin vers la caserne. Ils traversent la *Blücherplatz* en direction de la *Belle-Alliance-Platz* (aujourd'hui *Mehringplatz*). A gauche, la station *Hallesches Tor*, sur la ligne de métro de surface inaugurée en 1902 (ligne U1).

Soldados imperiales de camino desde el campo de instrucción de Tempelhof al cuartel. Cruzan la *Blücherplatz* en dirección a la *Belle-Alliance-Platz*, hoy *Mehringplatz*; a la izquierda la estación *Hallesches Tor* del metro elevado inaugurado en 1902 (línea 1 del metro).

Soldati dell'esercito imperiale nella *Blücherplatz* mentre tornano in caserma dal *Tempelhofer Feld*, la piazza d'armi. Di fronte la *Belle-Alliance-Platz* (l'odierna *Mehringplatz*), a sinistra la stazione della metropolitana sopraelevata di *Hallesches Tor* inaugurata nel 1902 (linea 1).

Max Missmann, 1907

Jannowitzbrücke. Kaufmann Jannowitz ließ hier 1822 die erste Brücke errichten, die zweite, hier abgebildete, wurde 1881–83 erbaut. Links die Türme des Roten Rathauses, des 1907 abgerissenen Waisenhauses und der Parochialkirche. Die Stadtbahn fährt in Richtung Alexanderplatz.

Jannowitzbrücke. The merchant Jannowitz had the first bridge built here in 1822; the second bridge, shown here, was built in 1881–83. On the left, the towers of the *Rotes Rathaus* (City Hall), the orphanage demolished in 1907, and the parish church. The urban railway train is travelling towards *Alexanderplatz*.

Pont *Jannowitzbrücke*. Le négociant Jannowitz fit construire le premier pont en 1822. Le second, représenté ici, fut érigé entre 1881 et 1883. A gauche, les tours de la *Rotes Rathaus* (hôtel de ville rouge), de la orphelinat rasée en 1907 et de l'Eglise Paroissiale. Le *S-Bahn* roule en direction de l'*Alexanderplatz*.

Jannowitzbrücke. El comerciante Jannowitz hizo erigir aquí el primer puente en 1822, el segundo, que aparece aquí en la fotografía, se construyó entre 1881 y 1883. A la izquierda se pueden apreciar las torres del *Rotes Rathaus* (Ayuntamiento Rojo), del orfanato demolido en 1907 y de la Iglesia Parroquial. El tren urbano se dirige hacia la *Alexanderplatz*.

Jannowitzbrücke. Il primo ponte lo fece costruire nel 1822 il commerciante Jannowitz, mentre il secondo fu edificato nel 1881–83. A sinistra le torri del municipio, il cosiddetto *Rotes Rathaus* (Commune Rosso), l'orfanotrofio demolito nel 1907 e la chiesa parrocchiale. Il treno urbano è diretto ad *Alexanderplatz*.

Max Missmann, 1906

Hochbahnhof Bülowstraße, errichtet nach einem Entwurf von Bruno Möhring. Mit der »vornehmen architektonischen Ausgestaltung« der U-Bahn- und Hochbahnstrecke hatte der Siemenskonzern mehrere bekannte Architekten beauftragt, darunter Adolf Grenander.

The *Bülowstrasse* overhead station, built to a design by Bruno Möhring. The Siemens company had entrusted the "distinguished architectural design" of the underground and overhead line to several well-known architects, including Adolf Grenander.

Gare surélevée de *Bülowstrasse*, érigée d'après le projet de Bruno Möhring. Le konzern Siemens avait engagé plusieurs architectes de renom, dont Adolf Grenander, dans le cadre du projet « d'aménagement architectural » des lignes de métro souterraines et surélevées.

La estación elevada de *Bülowstrasse*, diseñada por Bruno Möhring. El consorcio Siemens había encargado a varios arquitectos famosos, como Adolf Grenander, una «ampliación arquitectónica elegante» del tramo del metro subterráneo y elevado.

La stazione sopraelevata di *Bülowstrasse* costruita su progetto di Bruno Möhring. Il gruppo Siemens aveva indetto un concorso tra diversi architetti di fama, tra cui Adolf Grenander, per la realizzazione di « un progetto architettonicamente prestigioso » per la tratta della metropolitana e della rete sopraelevata.

Waldemar Titzenthaler, 1902

Der Oranienplatz in Kreuzberg mit der 1906 fertig gestellten Brücke von Bruno Schmitz über den Luisenstädtischen Kanal. Dieser verband die Spree mit dem Urbanhafen am Landwehrkanal. 1926/27 wurde der 1848–52 angelegte, 2,3 Kilometer lange Kanal zugeschüttet.

Oranienplatz in *Kreuzberg*, with the bridge over the Luisenstadt canal, completed in 1906 by Bruno Schmitz. This linked the Spree with the harbour *Urbanhafen* at the *Landwehrkanal*. In 1926/27, the 2,3-kilometre-long canal, laid out in 1848–52, was filled in.

La *Oranienplatz* à *Kreuzberg*, et le pont terminé selon les plans de Bruno Schmitz en 1906. Celui-ci franchit le *Luisenstädtischer Kanal*, qui relie la Spree au port *Urbanhafen* situé sur le *Landwehrkanal*. Aménagé entre 1848 et 1852, ce canal long de 2,3 kilomètres a été remblayé en 1926/27.

La *Oranienplatz* de *Kreuzberg* con el puente acabado en 1906 de Bruno Schmitz sobre el *Luisenstädtischer Kanal*, que unía el Spree con el puerto *Urbanhafen* en el *Landwehrkanal*. Este canal de 2,3 kilómetros de longitud, construido en 1848–52, fue cegado en 1926/27.

La *Oranienplatz* a *Kreuzberg* con il ponte sul *Luisenstädtischer Kanal* di Bruno Schmitz terminato nel 1906. Il canale congiungeva la Sprea con l'*Urbanhafen*, il porto sul *Landwehrkanal*. Realizzato nel 1848–52 e lungo 2,3 chilometri, il canale fu chiuso nel 1926/27.

Max Missmann, 1908

Hochbahnbrücke der U-Bahnlinie 1 westlich der Möckernbrücke. Sie überquert den Landwehrkanal, die Uferstraßen und die Zugtrasse zum Anhalter Bahnhof. Über der Einfahrt die Wappen der damals noch selbständigen Städte, durch die die Bahn fuhr: Schöneberg, Berlin und Charlottenburg.

Overhead railway bridge of the underground line 1, west of the *Möckernbrücke*. It crosses the *Landwehrkanal*, the bankside streets and the route to the Anhalt railway station. Above the entrance is the coat of arms of the towns, still autonomous at that time, through which the railroad ran: *Schöneberg*, *Berlin* and *Charlottenburg*.

Pont du métro de surface de la ligne 1, à l'ouest du pont *Möckernbrücke*. Il franchit le *Landwehrkanal*, les routes riveraines et la tracé vers la gare *Anhalter Bahnhof*. Au-dessus de l'entrée, les blasons des villes, à l'époque encore indépendantes, que traversait le métro: *Schöneberg*, *Berlin* et *Charlottenburg*.

Puente del metro elevado de la línea 1 al oeste de *Möckernbrücke*. Este puente cruza el *Landwehrkanal*, las calles de la orilla y las vías del tren a la estación *Anhalter Bahnhof*. Sobre la entrada, los escudos de las ciudades entonces aún independientes por las que pasaba el tren: *Schöneberg*, *Berlín* y *Charlottenburg*.

Ponte della metropolitana sopraelevata della linea 1 a ovest di *Möckernbrücke*. Il ponte attraversava il *Landwehrkanal*, i lungofiume ed il tracciato ferroviario verso *Anhalter Bahnhof*. Sopra l'ingresso, gli stemmi delle città, allora autonome, attraversate dalla sopraelevata: *Schöneberg*, *Berlin* e *Charlottenburg*.

Max Missmann, 1905

An der Ecke Bülowstraße/Dennewitzstraße, zwischen den Stationen Gleisdreieck und Bülowstraße, fuhr die Bahn der U-Bahnlinie 1 durch ein Wohnhaus – zur damaligen Zeit eine Sensation. Unter der Durchfahrt richteten sich die »Akademischen Bierhallen« ein.

On the corner of *Bülowstrasse/Dennewitzstrasse*, between the Gleisdreieck and Bülowstrasse stations, the underground line 1 train drove through a private house – a sensation at that time. Below the railway line were housed the "Academic Beer Halls".

A l'angle *Bülowstrasse/Dennewitzstrasse*, entre les stations Gleisdreieck et Bülowstrasse, le métro de la ligne U1 traversait une habitation – une sensation à l'époque. Les « Akademischen Bierhallen » s'implantèrent sous ce passage.

En la esquina *Bülowstrasse/Dennewitzstrasse*, entre las estaciones Gleisdreieck y Bülowstrasse, el metro de la línea 1 atravesaba una casa de pisos – en aquellos tiempos una sensación. Bajo la entrada se instalaron las «Cervecerías Académicas».

All'angolo *Bülowstrasse/Dennewitzstrasse*, tra le stazioni Gleisdreieck e Bülowstrasse, i treni della linea 1 della metropolitana attraversavano un caseggiato, all'epoca una sensazione. Nel sottopassaggio si trovavano i locali delle « Akademische Bierhallen ».

Waldemar Titzenthaler, 1905

Blick aus der Großbeerenstraße auf den Kreuzberg, im Hintergrund das Schinkel-denkmal für die Befreiungskriege 1812/13. Mit der Anlage des Viktoriaparks auf dem Berg wurde erst 1888 begonnen; für den dort integrierten Wasserfall musste das einstöckige Haus weichen.

View from the *Großbeerenstrasse* towards the *Kreuzberg*, in the background Schinkel's monument to the Wars of Liberation of 1812/13. The creation of the *Viktoriapark* on the mountain was not begun until 1888; the one-storey house had to be pulled down to make way for the waterfall built into the park.

Vue sur *Kreuzberg* depuis la *Großbeerenstrasse*, à l'arrière plan le monument de Schinkel commémorant les guerres d'indépendance de 1812/13. L'aménagement du parc Viktoria, en hauteur, a débuté en 1888 seulement; la chute d'eau qui y est intégrée a coûté le sacrifice de la maison à l'étage unique.

Vista de la colina de Kreuzberg desde la *Großbeerenstrasse*, en el fondo el monu-mento de Schinkel en conmemoración de las Guerras de la Independencia de 1812/13. El *Viktoriapark* que adorna la colina no empezaría a construirse hasta 1888; para las cataratas que se integraron a él tuvo que derruirse la caseta.

La collina di Kreuzberg vista dalla *Großbeerenstrasse*, sullo sfondo il monumento di Schinkel dedicato alle guerre d'indipendenza del 1812/13. La sistemazione del *Viktoriapark* sulla collina iniziò solo nel 1888, l'edificio a un piano che si vede nella foto dovette fare posto alla cascata integrata nel parco.

F. Albert Schwartz, 1887

Bau der Moltkebrücke in Moabit. Jenseits der Brücke das Kronprinzenufer und im Hintergrund die Anlagen am Königsplatz (später Platz der Republik). Die alte Unterspreebrücke hatte wegen mangelnder Standfestigkeit abgerissen werden müssen.

The building of the *Moltkebrücke* in *Moabit*. On the far side of the bridge, the *Kronprinzenufer*, and in the background the grounds of the *Königsplatz* (later *Platz der Republik*). The old *Unterspreebrücke* had to be demolished because of inadequate stability.

Construction du pont *Moltkebrücke* à *Moabit*. De l'autre côté du pont, la *Kronprinzenufer*, et à l'arrière plan, les espaces verts de la *Königsplatz* (plus tard *Platz der Republik*). Le vieux pont *Unterspreebrücke* avait dû être abattu pour manque de stabilité.

Obras del puente *Moltkebrücke* en *Moabit*. Más allá del puente se puede apreciar la *Kronprinzenufer* y en el fondo las instalaciones de la *Königsplatz* (más tarde llamada *Platz der Republik)*. El antiguo puente *Unterspreebrücke* había tenido que demolerse por falta de estabilidad.

Il *Moltkebrücke* a *Moabit* in costruzione. Al di là del ponte la *Kronprinzenufer*, sullo sfondo il complesso della *Königsplatz* (ribattezzata *Platz der Republik*). Il vecchio ponte sulla Unterspree fu demolito a causa della sua scarsa stabilità statica.

Hermann Rückwardt, 1889

Blick von Süden über die Spree auf den 1869–71 erbauten Lehrter Fernbahnhof. Im II. Weltkrieg stark beschädigt, wurde er 1957/58 abgerissen. Der Lehrter Stadtbahnhof, 1882 hinter dem abgebildeten Gebäude errichtet, musste 2002 dem neu entstehenden Zentralbahnhof weichen.

View from the South across the Spree to the Lehrte mainline station, built in 1869–71. Seriously damaged during the Second World War, it was pulled down in 1957/58. The Lehrte railway station, built in 1882 behind the building seen here, gave way in 2002 to the *Zentralbahnhof*, which is under construction right now.

Vue depuis le sud, par-dessus la Spree, sur la gare de *Lehrter Fernbahnhof* construite entre 1869 et 1871. Fortement endommagée pendant la guerre, elle a été rasée en 1957/58. La gare *Lehrter Stadtbahnhof*, construite en 1882 derrière le bâtiment photographié, a dû céder la place, en 2002, à la nouvelle gare centrale en construction.

La estación interurbana *Lehrter Fernbahnhof*, construida entre 1869 y 1871, vista desde el sur en la orilla del Spree. Destruida en gran parte durante la IIª Guerra Mundial, fue demolida en 1957/58. La estación urbana *Lehrter Stadtbahnhof*, construida en 1882 detrás del edificio fotografiado, se demolió en el año 2002 para hacer sitio a la Estación Central, actualmente en construcción.

Veduta da sud della *Lehrter Fernbahnhof*, la stazione ferroviaria costruita nel 1869–71 lungo la Sprea. Gravemente danneggiata nella II Guerra mondiale, fu demolita nel 1957/58. La stazione urbana *Lehrter Stadtbahnhof*, eretta nel 1882 dietro l'edificio raffigurato, è stata sostituita nel 2002 dalla nuova Stazione centrale.

Neue Photographische Gesellschaft, 1908

Das *Friedrich-Karl-Ufer* (heute *Kapelle-Ufer*), im Hintergrund die *Kronprinzen-brücke*. Die Binnenschifffahrt spielte für die Versorgung Berlins um 1900 eine bedeutende Rolle. Holz, Kohlen, Getreide, Kartoffeln, Zuckerrüben und Obst wurden auf der Spree in die Stadt transportiert.

The *Friedrich-Karl-Ufer* (today *Kapelle-Ufer*), with the *Kronprinzenbrücke* in the background. Inland navigation played an important role in the supply of goods to Berlin around 1900. Wood, coal, grain, potatoes, sugar beets and fruit were transported along the Spree into the city.

La *Friedrich-Karl-Ufer* (aujourd'hui *Kapelle-Ufer*), à l'arrière plan le pont *Kronprinzenbrücke*. La navigation fluviale a joué un rôle prépondérant dans l'approvisionnement de Berlin vers 1900. La Spree permettait le transport de bois, de charbon, de céréales, de pommes de terre, de betteraves sucrières et de fruits.

La *Friedrich-Karl-Ufer*, hoy *Kapelle-Ufer*, en el fondo el puente *Kronprinzenbrücke*. La navegación fluvial jugó un importante papel en el abastecimiento de Berlín en los alrededores de 1900. Por el Spree llegaban a la ciudad carbón, grano, patatas, remolacha y fruta.

La *Friedrich-Karl-Ufer* (l'odierna *Kapelle-Ufer*), sullo sfondo il *Kronprinzenbrücke*. Intorno al 1900 il traffico fluviale aveva un ruolo primario per l'approvvigionamento di Berlino. Legna, carbone, cerali, patate, barbabietole da zucchero e frutta raggiungevano la città sulla Sprea.

F. Albert Schwartz, 1913

Der 1846/47 erbaute Hamburger Bahnhof (heute »Museum für Gegenwart«).
Schon 1885 wurde er stillgelegt, da seit diesem Jahr die Züge nach Hamburg vom
benachbarten Lehrter Bahnhof aus verkehrten. Von 1906 bis 1945 diente das
Gebäude als Verkehrs- und Baumuseum.

The Hamburg station, built in 1846/47 (today the "Museum für Gegenwart").
It was closed down as early as 1885, since from that year the trains to Hamburg
ran from the nearby Lehrte station. From 1906 to 1945 the building was used as
a museum of transport and construction.

La gare *Hamburger Bahnhof* (aujourd'hui le musée d'art contemporain) construite en 1846/47. Elle fut fermée dès 1885, année où les trains pour Hambourg
partaient de la gare voisine *Lehrter Bahnhof*. De 1906 à 1945, elle a abrité le
Musée du transport et de la construction.

La estación *Hamburger Bahnhof* – hoy «Museum für Gegenwart» (Museo de Arte
Contemporáneo) –, construida en 1846/47. Dejó de emplearse en 1885, año en
que los trenes hacia Hamburgo empezaron a salir desde la vecina estación *Lehrter
Bahnhof*. Entre 1906 y 1945, el edificio fue usado como Museo de la Circulación
y la Arquitectura.

La *Hamburger Bahnhof* (oggi sede del Museo d'Arte contemporanea) costruita
nel 1846/47. Fu dismessa già nel 1885 quando i treni per Amburgo iniziarono a
partire dalla vicina *Lehrter Bahnhof*. Dal 1906 al 1945 il palazzo ospitò il Museo
dei trasporti e dell'edilizia.

1868

Am Neuen See im Tiergarten. Im Zuge der Umgestaltung des Tiergartens nach dem Vorbild englischer Landschaftsparks durch Peter Joseph Lenné wurde 1846/47 der Neue See angelegt. Bald darauf richtete man dort auch einen Biergarten und diesen Bootsverleih ein.

At the New Lake in the *Tiergarten*. In the course of the remodelling of the *Tiergarten* on the model of English landscaped parks by Peter Joseph Lenné the New Lake was laid out in 1846/47. Soon afterwards, a beer garden was incorporated, together with this boat-hiring establishment.

L'étang *Neuer See* à *Tiergarten*. En 1846/47, le *Neuer See* a été creusé à *Tiergarten* dans le cadre de son réaménagement à l'image des parcs anglais par Peter Joseph Lenné. Très vite y ont également été installés un *Biergarten* et un point de location de barques.

El *Neuer See* (Nuevo Lago) en *Tiergarten*. El *Neuer See* fue creado en 1846/47 en el marco de la remodelación del *Tiergarten* por Peter Joseph Lenné según el modelo de los jardines paisajísticos ingleses. Poco después se añadió al conjunto una cervecería al aire libre y este punto de alquiler de barcas.

Il *Neuer See* nel *Tiergarten*. Questo lago fu creato nel 1846/47 nell'ambito della risistemazione del *Tiergarten*, allestito da Peter Joseph Lenné sulla falsariga dei parchi inglesi. Poco dopo vi si aggiunsero una birreria all'aperto ed il noleggio barche.

Waldemar Titzenthaler, ca. 1900

Blick über den Wittenbergplatz und die Tauentzienstraße zur Kaiser-Wilhelm-Gedächtniskirche. An Stelle des 1911–13 errichteten U-Bahnhofs befand sich zunächst nur ein Fahrkartenhäuschen für die U-Bahn. Auch das KaDeWe wurde erst später, im Jahr 1907, eröffnet.

View across the *Wittenbergplatz* and the *Tauentzienstrasse* to the *Kaiser-Wilhelm-Gedächtniskirche*. In the place of the underground station built in 1911–13 there was at first only a small underground ticket office. The "KaDeWe" department store too was opened later, in 1907.

Vue, par-delà la *Wittenbergplatz* et la *Tauentzienstrasse*, sur l'eglise *Kaiser-Wilhelm-Gedächtniskirche*. Là où sera construite en 1911–13 la station de métro, ne se trouve encore qu'un kiosque à billets de métro. Le magasin « KaDeWe » sera lui aussi inauguré un peu plus tard, en 1907.

Vista de la *Wittenbergplatz* y la *Tauentzienstrasse* mirando hacia la *Kaiser-Wilhelm-Gedächtniskirche*. En lugar de la estación de metro construida en 1911–13 primero sólo se encontraba una caseta de venta de billetes para el metro. También los grandes almacenes «KaDeWe» se inauguraron más tarde, en 1907.

Veduta della *Kaiser-Wilhelm-Gedächtniskirche* da *Wittenbergplatz* e dalla *Tauentzienstrasse*. Là dove nel 1911–13 verrà costruita la stazione della metropolitana, c'era solo un chiosco che vendeva i biglietti della metropolitana. Anche il « KaDeWe » fu inaugurato solo nel 1907.

Max Missmann, 1905

Droschken auf dem Kurfürstendamm, der an der Gedächtniskirche vorbei bis an das Lützowufer führte. Das Elefantentor (heute an der Budapester Straße) bildet seit 1898/99 den zweiten Eingang zum Zoologischen Garten. Er wurde schon 1844 als erster Zoo Deutschlands eröffnet.

Hackney carriages on the *Kurfürstendamm*, which ran past the *Gedächtniskirche* as far as the *Lützowufer*. The elephant gate (today on *Budapester Strasse*) has since 1898/99 formed the second entrance to the *Zoologischer Garten*. It was opened as early as 1844 as Germany's first zoo.

Calèches sur le *Kurfürstendamm*, qui passait devant la *Gedächtniskirche* et menait jusqu'à la *Lützowufer*. La porte aux éléphants (aujourd'hui dans la *Budapester Strasse*) constitue depuis 1898/99 la seconde entrée du Jardin Zoologique, ouvert en 1844 comme premier zoo d'Allemagne.

Coches de punto en el *Kurfürstendamm*, que pasando junto a la *Gedächtniskirche* llevaba hasta la *Lützowufer*. La Puerta de los Elefantes, que hoy da a la *Budapester Strasse*, es desde 1898/99 el segundo acceso al *Zoologischer Garten*, inaugurado en 1844 como primer zoológico de Alemania.

Fiacre lungo la *Kurfürstendamm* che, passando davanti alla *Gedächtniskirche*, arrivava fino a *Lützowufer*. A partire dal 1898/99, la Porta degli Elefanti (oggi nella *Budapester Strasse*) diventa il secondo ingresso al Giardino Zoologico, il primo zoo ad essere aperto, nel 1844, in Germania.

1910

Am Kurfürstendamm. Der Boulevard im Westen der Stadt mit seinen luxuriösen Wohnhäusern entstand nach 1873 auf einem Knüppeldamm zum Jagdschloss Grunewald. Die U-Bahnlinie 5, 1913 eröffnet, sollte bis nach Halensee verlängert werden, endet aber noch heute an der Uhlandstraße.

Kurfürstendamm. This boulevard in the west of the city, with its luxurious private houses, was created after 1873 on a log road to the hunting lodge Grunewald. The underground line 5, opened in 1913, was planned to extend as far as *Halensee*, but today still comes to an end at *Uhlandstrasse*.

Kurfürstendamm. Ce boulevard à l'ouest de la ville, avec ses habitations luxueuses, est né en 1873 d'un simple chemin de rondins menant au château de chasse de Grunewald. La ligne de métro, inaugurée en 1913, devait mener jusqu'au *Halensee*, mais s'arrête aujourd'hui encore *Uhlandstrasse*.

Kurfürstendamm. El bulevar al oeste de la ciudad con sus lujosos edificios de viviendas se trazó a partir de 1873 sobre un sendero que llevaba al Palacio de Caza de Grunewald. Estaba previsto que la línea 5 de metro, inaugurada en 1913, llegara hasta el final del bulevar en *Halensee*, pero aún hoy termina en la *Uhlandstrasse*.

Kurfürstendamm. Il viale nella zona ovest della città con i suoi lussuosi palazzi fu costruito dopo il 1873 su una strada di tronchi che portava al castello di caccia di Grunewald. La linea 5 della metropolitana, inaugurata nel 1913, doveva proseguire fino ad *Halensee*, ma termina ancora oggi nella *Uhlandstrasse*.

Max Missmann, 1913

Der Reichskanzlerplatz (heute Theodor-Heuss-Platz) mit den Eingängen zum 1908 eröffneten U-Bahnhof, im Hintergrund die entstehende Heerstraße. Der noch vor der Bebauung 1904–08 angelegte Schmuckplatz sollte den Wohnwert des geplanten Wohnviertels Westend erhöhen.

The *Reichskanzlerplatz* (today *Theodor-Heuss-Platz*) with the entrances to the underground station opened in 1908, with the *Heerstrasse* still under construction, in the background. This impressive square, designed in 1904–08 before being built on, was intended to raise property values in the residential Westend district.

La *Reichskanzlerplatz* (aujourd'hui *Theodor-Heuss-Platz*) et les entrées du métro, inauguré en 1908. En arrière plan, la *Heerstrasse* en construction. La place décorative, précédant la construction de bâtiments entre 1904–08, devait hausser la valeur du quartier résidentiel de Westend en projet.

La *Reichskanzlerplatz* – hoy *Theodor-Heuss-Platz* –, con las entradas de la estación de metro inaugurada en 1908; en el fondo la *Heerstrasse*, entonces en construcción. Esta representativa plaza, construida en 1904–08 aún antes de edificarse sus inmediaciones, debía ayudar a incrementar el valor del barrio planeado de viviendas de Westend.

La *Reichskanzlerplatz* (l'odierna *Theodor-Heuss-Platz*) con gli accessi alla metropolitana inaugurata nel 1908, sullo sfondo la *Heerstrasse* in costruzione. La lussuosa piazza costruita nel 1904–08 ancora prima degli edifici circostanti, doveva accrescere l'attrattività del previsto quartiere residenziale.

Waldemar Titzenthaler, 1907

Autoverkehr auf der neu angelegten Heerstraße. Die Zahl der Privatautomobile stieg ständig, und so gab es 1901 die erste Berliner Verkehrsordnung, die die Fahrgeschwindigkeit auf maximal 14 km/h festlegte (ab 1911: 25 km/h) – auf Landstraßen durfte man etwas schneller fahren.

Traffic on the newly built *Heerstrasse*. The number of private motor cars rose steadily, and thus in 1901 the first traffic regulations were introduced in Berlin, limiting driving speeds to a maximum of 14 kilometres per hour (25 kilometres per hour from 1911) – on country roads one was allowed to drive a little faster.

Circulation sur la *Heerstrasse* fraîchement construite. Le nombre des voitures privées augmentait constamment, ce qui mena en 1901 au premier code de la route berlinois, fixant la vitesse maximale à 14 km/h (dès 1911: 25 km/h) – sur les grand-routes, on pouvait conduire un peu plus vite.

Circulación de coches en la *Heerstrasse*, poco después de su inauguración. El número de automóviles privados fue en constante aumento. Así, en 1901 surgió el primer Código de Circulación de Berlín, que fijaba un límite de velocidad de 14 km/h (a partir de 1911: 25 km/h) – fuera de la ciudad se podía conducir un poco más deprisa.

Traffico motorizzato sulla nuova *Heerstrasse*. Il primo codice stradale di Berlino, emanato nel 1901 in seguito al costante aumento delle automobili private, limitava la velocità massima a 14 km/h (dal 1911: 25 km/h). Sulle strade extraurbane la velocità permessa era un po' più alta.

1910

Am Freibad Wannsee. Den Berlinern war das Baden nur nach Geschlechtern getrennt in den Flussbadeanstalten erlaubt, das »freie« Baden an Spree, Havel und Dahme aus moralischen Gründen verboten. 1907 wurde das Freibaden am Großen Wannsee erlaubt – eine Sensation!

At the *Wannsee*. At the river bathing establishments Berliners were only allowed to bathe segregated by sex, while "free" bathing in the Spree, Havel and Dahme was forbidden for reasons of morality. In 1907, open-air bathing in the *Grosser Wannsee* was permitted – causing a sensation!

Baignade libre à *Wannsee*. Les Berlinois ne pouvaient se baigner, hommes et femmes séparés, que dans les bains fluviaux publics. La baignade « libre » dans la Spree, Havel et Dahme était interdite pour des raisons morales. En 1907, la baignade dans le *Grosser Wannsee* fut autorisée – une sensation!

Playa del *Wannsee*. A los berlineses sólo les estaba permitido bañarse en los ríos separados por sexos; en el Spree, Havel y Dahme estaba prohibido el «baño libre» por razones morales. En 1907 se permitió el baño libre en el *Grosser Wannsee* – ¡una sensación!

Il lido di *Wannsee*. A Berlino nei lidi lungo i fiumi uomini e donne potevano bagnarsi solo separatamente, nella Sprea, nella Havel e nella Dahme i « liberi » bagni erano infatti vietati per motivi morali. Nel 1907 si abolì questa regola per il lido del *Grosser Wannsee* – una sensazione!

Max Missmann, 1907

Photographie auf dem Umschlag vorn (Waldemar Titzenthaler, 1907)
Blick vom Boulevard Unter den Linden über den Pariser Platz zum Brandenburger Tor. Das Wahrzeichen Berlins, 1788–91 nach dem Entwurf von Carl Gotthard Langhans erbaut und 1793 mit der Quadriga von Johann Gottfried Schadow gekrönt, war das erste monumentale Bauwerk des Klassizismus in Berlin.

Front cover photograph (Waldemar Titzenthaler, 1907)
View from the boulevard *Unter den Linden* across *Pariser Platz* to the Brandenburg Gate. This Berlin landmark, built in 1788–91 to designs by Carl Gotthard Langhans and crowned in 1793 with the quadriga by Johann Gottfried Schadow, was the first monumental neoclassical building in Berlin.

Photographie à l'avant de l'enveloppe (Waldemar Titzenthaler, 1907)
Vue depuis le boulevard *Unter den Linden*, par-delà la *Pariser Platz*, sur la Porte de Brandebourg. Erigée en 1788–91 d'après le projet de Carl Gotthard Langhans et couronnée en 1793 par le quadrige de Johann Gottfried Schadow, l'emblême de Berlin fut la première construction monumentale du classicisme à Berlin.

Fotografía en la solapa delantera (Waldemar Titzenthaler, 1907)
Vista del bulevar *Unter den Linden* sobre la *Pariser Platz* hasta la Puerta de Brandeburgo, el símbolo de Berlín. Construida en 1788–91 según los planos de Carl Gotthard Langhans y coronada en 1793 con la cuadriga de Johann Gottfried Schadow, éste fue el primer monumento erigido en estilo neoclásico de Berlín.

Fotografia in prima di copertina (Waldemar Titzenthaler, 1907)
Veduta del viale *Unter den Linden* con la *Pariser Platz* e la *Brandenburger Tor*. La porta emblema di Berlino, costruita nel 1788–91 su progetto di Carl Gotthard Langhans e abbellita nel 1793 con la Quadriga di Johann Gottfried Schadow, fu la prima costruzione monumentale neoclassica di Berlino.